MW00426702

Les Cinq et la statue inca

Une nouvelle aventure des personnages créés par Enid Blyton racontée par Claude Voilier.

Illustrations
Frédéric Rébéna

Claude

11 ans.
Leur cousine. Avec son fidèle chien Dagobert, elle est de toutes les aventures.
En vrai garçon manqué, elle est imbattable dans tous les sports et elle ne pleure jamais… ou presque !

François

12 ans
L'aîné des enfants, le plus raisonnable aussi.
Grâce à son redoutable sens de l'orientation, il peut explorer n'importe quel souterrain sans jamais se perdre !

Mick

11 ans comme Claude.
C'est un casse-cou (un gourmand aussi !) qui n'hésite jamais avant de se lancer dans les plus périlleuses aventures...

Annie

10 ans
La plus jeune, un peu gaffeuse, un peu froussarde !
Mais elle finit toujours par participer aux enquêtes, même quand il faut affronter de dangereux malfaiteurs...

Dagobert

Sans lui, le Club des Cinq ne serait rien !
C'est un compagnon hors pair, qui peut monter la garde et effrayer les bandits.
Mais surtout c'est le plus attachant des chiens...

Une nouvelle aventure des personnages créés
par Enid Blyton racontée par Claude Voilier.

Illustrations : Frédéric Rébéna.

Le texte de la présente édition a été revu par l'éditeur.
Ce titre a initialement paru sous le titre :
Les Cinq font de la brocante.

Hachette Livre, 43, quai de Grenelle, 75015 Paris.

chapitre 1

Un antiquaire bien bavard

— Comme le temps passe vite, Dag ! Tu ne trouves pas ?

Claude Dorsel, brune, mince, vive et plutôt grande pour ses onze ans, pose gravement la question à son chien Dagobert.

— Ouah ! fait Dag, qui est toujours d'accord avec sa jeune maîtresse.

Il frétille de la queue pour bien montrer le contentement qu'il éprouve à la retrouver. Les grandes vacances débutent à peine. Claude, arrivée l'avant-veille du lycée où elle est pensionnaire, reprend avec plaisir possession de son domaine estival : la *Villa des Mouettes*. C'est là, près de Kernach, au bord de la mer, qu'habitent ses parents.

Claude n'a ni frère ni sœur. Son meilleur et plus fidèle compagnon est certainement Dagobert – Dag ou Dago pour les intimes – qui partage tous ses jeux et qu'elle prend souvent pour confident de ses joies et de ses peines. L'intelligent animal la comprend, l'aime et la suit partout comme son ombre. Dans le pays, on les appelle volontiers « les inséparables ».

— Tu te rends compte, continue Claude en secouant ses courtes boucles brunes. Nous avons plus de deux mois de bon temps à passer ici avec François, Mick et Annie ! C'est ça qui est chouette ! Sais-tu qu'ils vont arriver d'une minute à l'autre ? Ah ! comme je suis heureuse !

Dans sa joie, Claude attrape Dago par les pattes de devant et lui fait exécuter une gigue à sa façon dans l'allée centrale du jardin des *Mouettes.* Puis elle le lâche et tend l'oreille au bruit caractéristique du car poussif qui relie la gare de Kernach et les villages de la côte. Bientôt la voiture s'immobilisera devant la grille.

— Viens vite, Dag ! Ce sont eux !

Claude file comme une flèche vers le portail, Dago sur ses talons.

— Les voilà ! Les voilà ! voilà mes cousins !

Le car s'arrête en gémissant. Un garçon de douze ans, grand et blond, saute à terre, suivi d'une petite fille aussi blonde que lui mais plus jeune de trois ans au moins.

— François ! Annie ! s'écrie Claude en se jetant à leur cou. Mais où donc est Mick ?

— Coucou ! Me voilà ! répond un garçon brun qui descend à son tour du car en remorquant deux énormes valises. Ouf ! Bien content d'être arrivé ! Quelle belle invention, les vacances !

Mick a le même âge que Claude. Tous deux se ressemblent étonnamment : même tignasse brune, mêmes yeux vifs, même sourire malicieux. Vêtus d'un jean et d'un polo, ils pourraient passer pour frères… car Claude a une allure décidée qui la fait souvent prendre pour un garçon.

— C'est bon de se retrouver ! déclare François avec un large sourire. Salut, Dago ! ajoute-t-il en serrant la patte que lui tend le chien.

Annie est rayonnante.

— Tante Cécile et oncle Henri vont bien ? demande-t-elle gentiment à sa cousine.

— Très bien. Ils vous attendent. Venez vite les embrasser !

François, Mick et Annie Gauthier passent traditionnellement les vacances chez Claude. M. et Mme Dorsel les accueillent toujours à bras ouverts. Le père de Claude, savant de grande valeur, supporte assez mal toutefois la présence de cette bruyante jeunesse : il a besoin de calme et de silence pour poursuivre ses travaux. Aussi les quatre cousins et Dag vivent-ils le plus possible au grand air, ce qui n'est pas pour leur déplaire.

En l'honneur des arrivants, Maria, la cuisinière, a préparé un alléchant goûter. Quand les enfants se sont régalés, ils s'installent dehors, sur la pelouse, au soleil, pour établir ce qu'ils appellent leur « programme des loisirs » : baignades, parties de bateau et aussi promenades à bicyclette dans les environs.

— À propos de bicyclette, dit Claude, nous pourrions dès aujourd'hui nous occuper des nôtres, qui attendent dans la remise, sous une bonne couche de poussière.

Un instant plus tard, les quatre cousins sont au travail, astiquant et graissant leurs vélos. Ce faisant, ils n'arrêtent pas de bavarder.

— Cet été, explique Claude, il y a plus de touristes que jamais dans la région. C'est sans doute pour cela qu'un tas de brocan-

teurs ont ouvert boutique jusque dans le moindre village.

— Les antiquités sont à la mode ! affirme François.

— Oui. Les brocanteurs font des affaires en or, m'a expliqué papa. Savez-vous qu'il y en a un à Kernach même ?

Et, sans cesser de manier vigoureusement son chiffon, Claude donne des détails :

— Il s'appelle Bastien Lezun. Je le connais un peu car, hier, maman est allée lui acheter une vieille lampe à pétrole. La nôtre était cassée. Vous savez que parfois, en temps d'orage, nous avons des pannes d'électricité. J'ai donc accompagné maman et parlé à ce brocanteur. Il est très gentil et nous a montré une foule de choses intéressantes et drôles.

— Un brocanteur, questionne Annie, c'est bien un chiffonnier ?

— Ha ! ha ! bien sûr que non, nigaude ! C'est un marchand d'objets anciens et souvent très beaux. Tu verras toi-même ! Aujourd'hui, si vous voulez, nous irons faire une petite visite d'amitié à ce sympathique Bastien Lezun !

Un peu plus tard, suivis de Dago, les enfants pédalent joyeusement en direction du village.

Claude a dit vrai, les jeunes Gauthier constatent. La région est plus animée que les années précédentes. À Kernach, une foule de touristes se presse à l'intérieur de la boutique de Bastien Lezun qu'une enseigne amusante, *Antique pas en toc*, désigne de loin au public.

Quelques passants écrasent leur nez contre la vitre. Claude et ses cousins en font autant. Il y a là une telle profusion de petits meubles et de bibelots que chacun peut y dénicher un objet à son goût.

— Entrons ! propose Claude. Ce Bastien est terriblement bavard. Il nous a raconté qu'il venait de Paris pour la saison mais qu'il était originaire du Midi. Il adore parler !

Les enfants profitent de la sortie d'un groupe de clients pour pénétrer dans la boutique encombrée. Bastien est en train de faire l'article à d'éventuels acheteurs. C'est un garçon d'une trentaine d'années, brun et trapu, avec une voix chantante et des yeux pleins de malice et de gaieté.

— Hé bé ! lance-t-il. Qu'est-ce que vous lui trouvez de mal, à cette console ? C'est de l'authentique Louis XV. Les trous de vers sont Louis XV. Avec un peu de chance, vous trouverez dans le bois des vers fossiles,

Louis XV eux aussi. Qu'est-ce que vous voulez de plus pour le prix ?

Les clients se mettent à rire et, comme le petit meuble est beau, ils l'achètent sans plus discuter. Bastien vend ensuite deux bibelots et les enfants se retrouvent enfin seuls avec lui.

Le brocanteur reconnaît Claude qui présente ses cousins.

— Vous avez la manière pour vendre votre marchandise, monsieur, dit François en souriant. Félicitations !

— Appelez-moi Bastien ! C'est plus sympathique. Quant à savoir vendre, bé quoi, c'est pas difficile. Quand les gens rient, ils sont tout prêts à se laisser convaincre d'acheter. C'est mon truc à moi !

Une sympathie réciproque naît spontanément entre Bastien et ses jeunes visiteurs. Le marchand d'antiquités connaît et aime son métier. Il montre avec orgueil aux enfants quelques très beaux objets. Il fait marcher, exprès pour Annie, une danseuse en tutu, gracieux automate qui décore une boîte à poudre musicale. François admire des couteaux. Mick s'amuse avec un vieux jeu de trictrac.

Claude s'extasie pour sa part devant une très belle maquette de caravelle. C'est

une pièce rare, à laquelle Bastien tient particulièrement. L'admiration de Claude le flatte...

Cette première rencontre avec le brocanteur est suivie de beaucoup d'autres. Presque chaque jour, les Cinq font une petite visite à leur ami Bastien. Dag lui-même apprécie le jeune homme, qui a toujours un sucre à lui offrir.

— J'aime bien venir ici, avoue un jour la timide Annie à l'antiquaire. Avec vous, on ne s'ennuie jamais. Vous nous racontez des histoires drôles et vous êtes constamment de bonne humeur !

— J'ai d'autres défauts ! assure Bastien en riant. Je suis affreusement gamin et désordonné. C'est ce que me reproche souvent mon associé, qui est resté en ville tandis que je fais la saison ici. J'égare sans cesse factures et papiers. Si j'étais seul patron, je crois que je coulerais notre affaire. Et pourtant, ajoute-t-il naïvement, question métier, je suis un as !

Au bout d'une semaine, Claude constate tout haut :

— Nous voici tous réunis. Le Club des Cinq est au complet. Cinq détectives célèbres ! Cinq fins limiers ! Cinq fameux

débrouilleurs d'énigmes... mais pas la moindre énigme à l'horizon !

François se met à rire.

— Comme tu es impatiente ! Les vacances commencent à peine, et tu veux déjà que nous nous mettions en chasse ! Les mystères ne peuvent pas fleurir sous notre nez, comme ça, sur commande !

Claude, assise sur la pelouse, passe son bras autour du cou de Dag.

— J'ai bon espoir, soupire-t-elle. Lorsque nous sommes ensemble, un problème vient toujours s'offrir à nous... C'est même pour cela que nous avons fondé le Club des Cinq ! À nous tous, nous formons une équipe sensationnelle !

— Toujours modeste ! murmure Mick, taquin.

— Tais-toi, moqueur ! coupe Annie. Tu sais bien que Claude est notre chef. C'est toujours elle qui a les meilleures idées quand il s'agit de tirer au clair une affaire embrouillée.

— Merci, Annie ! dit Claude, flattée. En fait, nous avons tous des idées. Je le répète, nous formons une bonne équipe.

— Mais une équipe de détectives sans problème policier à élucider, c'est comme un avocat sans cause ! fait remarquer Mick.

— Bah ! conclut François. Reposons-nous ! Amusons-nous ! L'aventure saura bien nous trouver… s'il doit y en avoir une !

Là-dessus, les quatre cousins et Dag engagent une partie de cache-cache mouvementée et ne pensent plus à rien.

Au bout de deux jours cependant, Claude recommence à s'impatienter. Elle déteste demeurer inactive… et considère comme de l'inaction le fait de ne rien faire d'autre que jouer, manger et dormir. Et puis…

chapitre 2

La statue qui parle

Ce matin-là, les quatre cousins prennent gaiement leur petit déjeuner en bavardant. M. Dorsel, toujours pressé de retrouver sa table de travail, se lève bientôt, s'excuse auprès de sa femme et va s'enfermer dans son bureau. Le journal du matin, qu'il a rapidement parcouru, traîne à côté de son attaché-case. François s'en empare, et, histoire de rire un peu, se met à lire tout haut les faits divers de la région, y ajoutant des commentaires cocasses... Soudain, il tombe sur un entrefilet qui lui semble intéressant.

— Eh ! dites donc ! s'écrie-t-il. Écoutez ça !... On parle de Kernach... Il paraît qu'une statue en bois, provenant de Bolivie,

est actuellement en vente chez un antiquaire du village.

— Peuh ! fait Claude. On trouve des tas de statues chez des tas d'antiquaires. Je ne vois pas ce que celle-ci a de particulièrement original.

— C'est que tu ne m'as pas laissé finir, dit François. Cette statue a bel et bien quelque chose d'original. Elle parle !

— Une statue parlante ! s'exclame Annie, émerveillée.

Mick hausse les épaules.

— T'emballe pas, p'tite sœur ! lance-t-il d'un ton narquois. Il doit s'agir d'un vulgaire automate !

François sourit.

— Même si la statue n'est qu'un automate, elle doit être très curieuse à voir, explique-t-il. Le journal précise qu'elle est presque de la taille d'un homme.

Claude daigne paraître intéressée.

— On pourrait toujours aller jeter un coup d'œil à ce truc !

— Mais où se trouve au juste la statue ? demande Annie.

— Chez un antiquaire de Kernach, d'après le journal. Comme il n'y en a qu'un, c'est forcément Bastien.

— Chic ! s'écrie Annie, toute rose de joie. Il nous permettra de la regarder sur toutes ses faces !

— Et de bavarder avec elle, donc ! ajoute Mick, taquin à son habitude. Si c'est une statue de femme, vous n'en finirez pas de papoter, toutes les deux !

Annie commence à rire, sans se fâcher. Elle est très douce de nature et extrêmement facile à vivre. À côté d'elle, la bouillante Claude paraît de la dynamite. François est calme et pacifique comme sa petite sœur. C'est l'élément pondérateur de la bande.

— Bon ! dit-il. Passons à la boutique ce matin même. Plus tard, la statue risquerait d'être vendue.

Tout en pédalant en direction du village, les enfants se posent des questions au sujet de la statue parlante. À quoi ressemble-t-elle ? Que représente-t-elle ? Et, surtout, comment peut-elle parler ? Ils ne savent vraiment qu'imaginer.

Arrivés devant la boutique de Bastien, les quatre cousins mettent pied à terre et se précipitent à l'intérieur. Par chance, à cette heure de la matinée, il n'y a encore personne. Bastien accueille ses visiteurs avec le sourire.

— Tiens ! Voilà la bande des *Mouettes*, constate-t-il gentiment. Bonjour, jeunes gens ! Quel bon vent vous amène si tôt ?

— Ce n'est pas le vent mais cet article, dans le journal ! annonce François en tendant la « page régionale » à l'antiquaire. Il signale une statue parlante et…

— Et vous venez me l'acheter ! achève Bastien en plaisantant.

— C'est donc bien chez vous qu'elle est ! se réjouit Annie.

— Bien sûr ! Et je sens que vous brûlez d'envie de la voir. Une belle pièce, ma foi…

Il fait passer la petite troupe dans l'arrière-boutique où une forme sombre et rigide semble monter la garde.

— J'étais en train de l'astiquer avant de l'exposer dans le magasin, explique Bastien.

— Si elle n'était pas exposée, je me demande comment le journal a pu connaître sa présence ici… commente Mick, intrigué.

— Le journal ! s'exclame Bastien en clignant de l'œil. C'est moi qui l'ai renseigné ! Un simple coup de fil et j'ai eu ma petite publicité gratuite ! Cet article va m'amener des tas de touristes. Tenez ! Donnez-moi donc un coup de main pour transporter le colis dans la boutique…

François et Mick aident à porter le « colis » d'une pièce à l'autre. À présent que la statue se trouve bien éclairée, on peut l'admirer en détail. Les enfants ne s'en privent pas.

— Elle est en bois sculpté, reprend Bastien, et représente, à ce qu'il me semble, un quelconque dieu primitif. La caisse qui la contenait a été expédiée de La Paz, en Bolivie. Comme je n'ai trouvé à l'intérieur ni papier ni facture, je suppose que c'est ce brave Alain Barthet, mon associé, qui me l'a fait livrer. Il faudra que je lui écrive pour accuser réception du colis... quand j'en aurai le temps. Ce n'est pas pressé !

Claude tourne lentement autour de la statue. Celle-ci, qui a la taille d'un homme relativement petit, est malgré tout imposante. Les traits du visage sont nobles, le front haut, le nez fin et les yeux expressifs.

— Avez-vous remarqué ? questionne Claude. Elle est évidée par-derrière. Comme c'est curieux ! Je n'ai jamais rien vu de tel !

— Tu as raison ! constate Mick. Cette statue ressemble à un masque gigantesque, allant de la tête aux pieds de celui qui le placerait devant soi.

— Ce n'est pas là l'unique particularité de ma statue, déclare Bastien en se frottant les mains d'un air réjoui.

— Elle parle ! rappelle François.

— Parfaitement !... Enfin... si on la fait parler...

— Comment cela ? demande Annie, les yeux brillant de curiosité. En pressant un bouton, comme dans ces poupées qui font « Maman... dodo... », etc. ?

— Pas du tout ! s'écrie Bastien en riant. Il n'y a ni bande magnétique ni mécanisme dans cette statue. Tenez, vous allez voir !... François, viens par ici. Tu es le plus grand... Place-toi derrière la statue en avançant un peu à l'intérieur de la partie évidée. Tes lèvres se trouvent désormais à peu près au même niveau que la bouche du dieu. Maintenant, prononce une phrase quelconque, à voix très basse. Tu as bien compris ? Allons, essaie...

En chuchotant comme on le lui a conseillé, François prononce :

— Je suis le roi des dieux boliviens.

Alors, Claude, Mick et Annie qui se tiennent juste en face de la statue poussent un cri de stupeur. C'est que le dieu leur parle avec une voix de tonnerre.

Dag, qui depuis un moment flaire la statue d'un air soupçonneux, saute en l'air, oreilles dressées et poil hérissé, pour retomber sur ses quatre pattes et pousser un long hurlement de terreur. Claude, Mick et Annie échangent des regards effarés. Ils ne comprennent pas…

Devant leur étonnement, Bastien s'esclaffe très fort :

— C'est trop drôle ! Pas vrai que vous êtes surpris, hé ? Avouez qu'elle a du coffre, ma statue ! Il suffit de murmurer et le masque amplifie les sons au point de les rendre tonitruants. Comme mégaphone, on ne fait pas mieux de nos jours !

Annie a du mal à retrouver ses esprits.

— Qu'est-ce que c'est ? murmure-t-elle. D'où vient cette voix terrible ?

— C'est celle de François, mon petit !

— Je comprends ! s'écrie Claude avec animation. Ce phénomène acoustique était déjà connu des Grecs de l'Antiquité. Notre professeur d'histoire nous a expliqué que les anciens acteurs usaient de ce stratagème sonore… Ils jouaient avec, fixé sur le visage, un masque qui enflait leur voix et la projetait aux quatre coins du théâtre.

— Exact ! renchérit Mick. Notre prof nous l'a expliqué, à nous aussi. Ainsi, les spectateurs pouvaient entendre les répliques, même s'ils se trouvaient installés sur les gradins les plus éloignés de la scène.

— À notre époque, enchaîne François qui est sorti de la statue, les masques de jadis sont remplacés par des porte-voix ou des micros. C'est égal, ajoute-t-il, cette statue a une portée sonore extraordinaire.

— C'est ce qui fait son originalité, déclare Bastien. Et comme je la crois très ancienne, je la vendrai un bon prix.

Claude se glisse à son tour à l'intérieur du dieu de bois. En se haussant sur la pointe des pieds, elle réussit à placer sa bouche au niveau de celle de la statue.

— Dag ! Dago ! appelle-t-elle tout bas.

Le son, monstrueusement amplifié, fait trembler la glace de la vitrine. Dag saute de nouveau en l'air et, cette fois, couine exactement comme pourrait le faire un cochon dont on écraserait la queue :

— Ouinh ! Ouinh !

Bastien et les enfants partent d'un énorme éclat de rire. Comme Claude se trouve toujours dans la statue, le sien se transforme en roulement de tambour. Dago, pris d'une

véritable panique, détale à la vitesse d'une flèche, contourne la statue et bondit sur Claude comme pour lui réclamer protection.

— Ouah ! Ouah !

Comme, dans ce mouvement, il se trouve lui-même dans le masque, Bastien, François, Mick et Annie assistent à cette scène prodigieuse : devant eux, un noble dieu bolivien aboie à pleins poumons ! Les enfants n'en peuvent plus de rire. Bastien se tient les côtes. Claude, qui s'en veut d'affoler à ce point son chien bien-aimé, va retrouver ses cousins et cajole le pauvre Dago.

— Là, là, mon brave Dag ! N'aie pas peur. Ce n'est qu'un méchant bout de bois...

Dago, comme s'il comprenait, se calme aussitôt et paraît tout confus. Lui, si courageux d'habitude devant le danger, s'est laissé effrayer comme un sot par cette voix formidable. Le pauvre en est affreusement vexé.

Après avoir repris son sérieux, Bastien donne des précisions sur le dieu bolivien. La statue, pense-t-il, était utilisée, au temps des Incas, dans certaines cérémonies religieuses.

Sans doute développerait-il son exposé si des clients, attirés par le vacarme, n'entraient

dans sa boutique pour admirer la statue. Instantanément, Bastien se lance dans un boniment destiné à faire valoir l'extraordinaire dieu bolivien.

Discrètement, les Cinq se retirent.

Ce jour-là, ils ne parlent guère que de la statue de bois aux merveilleuses propriétés acoustiques. Et, le lendemain, en faisant leur petite visite habituelle à Bastien, ils ne sont pas mécontents de la revoir. À peine arrivé en vue de la boutique, Mick s'écrie :

— Regardez ! Bastien a exposé la statue sur le trottoir, à l'entrée de son magasin !

— C'est pour attirer les clients ! comprend Claude.

— Il doit falloir posséder une grosse fortune pour acquérir une pièce pareille ! fait remarquer François. Espérons que Bastien tombera sur un amateur passionné d'art bolivien.

— La Bolivie… c'est le pays où régnaient autrefois les Incas ? demande Annie.

— Oui, répond Claude. La Bolivie et le Pérou formaient l'empire des Incas. L'Inca, c'est-à-dire le roi, était adoré tel un dieu… parmi d'autres comme, sans doute, celui que représente cette statue.

Des curieux se sont groupés devant l'effigie de bois. De temps en temps, un badaud plus hardi que les autres se glisse derrière et prononce quelques mots, immédiatement amplifiés par le masque. Le bruit attire de nouveaux passants qui viennent grossir la foule. C'est ce qu'a escompté l'astucieux Bastien.

— Ce n'est pas le moment de déranger notre ami, estime François. Nous reviendrons demain !

— En attendant, propose Claude, nous devrions baptiser cette originale statue. Que diriez-vous de Tocotoc ?

Annie se met à rire.

— Voilà un nom bien choisi ! dit-elle. Ça fait assez péruvien… ou brésilien…

— Très Amérique centrale en tout cas, reconnaît Mick. Après tout, au Mexique, l'ancien dieu de la pluie s'appelait Tlaloc.

Le lendemain, mis au courant de la fantaisie de Claude, Bastien l'approuve avec sa bonne humeur coutumière.

— Va pour Tocotoc ! accepte-t-il en souriant. Ce nom en vaut un autre… bien que ma statue ne fasse pas toc du tout ! Ha ! ha !

Tocotoc, cependant, continue à intéresser les estivants qui viennent le voir, rient,

plaisantent… mais le trouvent beaucoup trop cher pour leur bourse, ce qui ne les empêche pas d'acquérir des souvenirs plus modestes.

— Finalement, décide Bastien, je crois préférable de ne pas me séparer encore de Tocotoc. Quand je serai de retour à Paris, à la fin des vacances, je trouverai sans difficulté un riche acheteur. En attendant, il me servira ici à attirer des clients moins fortunés. Je le garde donc !

Deux jours plus tard, Claude et ses cousins, venus comme d'habitude saluer leur ami Bastien, trouvent l'antiquaire d'humeur maussade. Cela semble tellement extraordinaire qu'ils ne peuvent s'empêcher de l'interroger.

— Ne m'en parlez pas ! répond Bastien. Je suis dans une colère noire. Vous me connaissez, hé ? Je suis plutôt bon garçon ! Eh bé ! Quand je veux, aussi, je peux être plus têtu qu'une bourrique. Alors il ne faut pas qu'on me chatouille.

— Mais que vous est-il donc arrivé ? interroge Claude.

— Eh bien, j'ai reçu la visite d'un étranger… un homme avec l'accent espagnol. Il voulait Tocotoc. J'ai répondu qu'il n'était pas à vendre… et j'ai bien cru qu'il allait l'emporter de force !

chapitre 3

Tocotoc a du succès

Mick pousse une exclamation.

— De force ? répète-t-il.

— Oh ! J'exagère un peu ! Mais il ne voulait pas prendre mon refus pour un non définitif. J'avais beau expliquer que ma statue me servait d'enseigne originale et spectaculaire, il ne m'écoutait même pas.

— Il était aussi entêté que vous ! souligne Claude en souriant.

— Et comment ! « J'accepte d'avance le prix que vous m'en demandez ! » m'a-t-il dit… Je crois que c'est le ton suffisant de ce bonhomme qui ne m'a pas plu. Pour finir, je l'ai presque mis à la porte. Quand je m'échauffe, je suis comme ça, té. Plus on insiste, moins je peux me contenir !

Le brave Bastien est tellement comique en racontant son histoire, tant il roule les yeux et gesticule furieusement, que les enfants ont bien du mal à s'empêcher de rire. Seule Annie, toujours compatissante, s'inquiète de le voir devenir tout rouge.

— Calmez-vous, Bastien ! lui conseille-t-elle gentiment. Je vais vous faire une tasse de camomille.

La proposition pourrait paraître cocasse si Bastien n'était grand amateur de tisanes. Annie le prend par la main et le tire dans l'arrière-boutique. Claude, François et Mick suivent. Tandis qu'Annie prépare la boisson parfumée, Bastien se calme un peu. Il finit même par rire avec les enfants.

Soudain, la clochette de l'entrée retentit.

— Un client ! murmure Bastien en se levant.

Ayant jeté un coup d'œil par l'entrebâillement de la porte, il s'exclame tout bas :

— Encore lui !

— Qui ça, lui ? demande Claude.

— L'homme qui veut à tout prix m'acheter Tocotoc ! Attendez un peu ! Je vais l'expédier en vitesse !

L'antiquaire passe dans le magasin. Regardant à leur tour discrètement, les

quatre cousins aperçoivent un personnage fort élégant, grand et mince, aux cheveux noirs, à la petite moustache bien taillée, qui aborde Bastien avec un éblouissant sourire.

— Excusez-moi de revenir vous importuner, commence-t-il avec un fort accent ibérique, mais c'est plus fort que moi. Votre statue me hante. Depuis le temps que ma femme m'en réclame une pour décorer le hall de notre maison ! Celle-ci serait parfaite.

— Possible, réplique Bastien, mais je vous répète qu'elle n'est pas à vendre.

— Écoutez : j'ai appris qu'elle était en vente il y a quelques jours. Combien en vouliez-vous alors ?

— Huit mille euros !

— Je vous en offre le double ! L'anniversaire de ma femme doit être marqué par un très beau cadeau. J'ai donc décidé…

— Et moi, j'ai décidé de ne pas vendre ma statue ! rétorque Bastien d'un ton bourru. Personne n'a encore réussi à me faire revenir sur une décision en forçant les enchères !

Les deux hommes discutent encore quelques minutes. Pour finir, Bastien, prêt à se fâcher, ouvre grand sa porte…

— Nous perdons notre temps ! Je ne vous retiens pas.

L'amateur de statue pince les lèvres et s'en va. Les enfants, qui se sont gardés de paraître, sortent de l'arrière-boutique pour rejoindre leur ami. Annie lui présente une tasse de camomille fumante.

— Merci, Annie ! Alors ! Vous avez vu comment j'ai « vidé » cet empoisonnant personnage ? Je n'aime pas qu'on se paie ma tête ! Offrir seize mille euros pour ce qui en vaut huit… Je n'apprécie guère cette sorte de plaisanterie.

Claude est songeuse.

— Je me demande, marmonne-t-elle, s'il s'agissait d'une plaisanterie. Cet homme avait l'air tout à fait sérieux.

— C'est vrai, renchérit François. Il n'hésitait pas à offrir une grosse somme pour s'approprier votre statue. Et il semblait riche. Peut-être avez-vous eu tort de repousser sa proposition, Bastien ?….

Le jeune brocanteur paraît ennuyé à présent. Il hoche la tête en fronçant les sourcils.

— Possible, reconnaît-il. Je suis trop impulsif ! Mais aussi, pourquoi m'asticotait-il si fort, cet homme ?

Mick et Claude se sont mis à examiner Tocotoc comme s'ils le voyaient pour la première fois.

— Peut-être, suggère Mick, cette effigie de dieu bolivien vaut-elle vraiment la somme que votre acheteur proposait ?

— C'est évidemment une pièce rare, admet Bastien. Mais n'oubliez pas que je connais mon métier. Ma statue ne vaut pas le prix que cet individu m'en offre… à moins, bien entendu, qu'elle ne possède quelque chose de spécial que je n'ai pas su voir… quelque chose de caché…

Sous les yeux des enfants intrigués, l'antiquaire se met à étudier Tocotoc depuis le bout de ses pieds nus jusqu'à la coiffure de plumes, en bois sculpté, qui couronne sa tête. Il ne découvre rien de particulier.

— J'en suis sûr à présent, déclare-t-il. Cet individu était bien un plaisantin. Ou alors, il est fou.

Claude et ses cousins en sont moins certains. Mais ils renoncent vite à persuader l'obstiné Bastien. Ils quittent bientôt la boutique pour faire des courses dans Kernach… Le reste de l'après-midi se passe à jouer sur la plage.

Le lendemain, une randonnée agrémentée d'un pique-nique occupe toute la journée des Cinq.

Ce soir-là, avant de monter se coucher, Annie dit à ses frères et à sa cousine :

— Demain, il faudra passer voir Bastien. Sinon, il va croire que nous l'abandonnons.

— En lui rendant visite chaque jour, plaisante Claude, nous lui avons donné de mauvaises habitudes.

— Peut-être, ajoute Mick en riant, l'amateur de statue est-il venu le voir en notre absence pour le consoler…

Le jour suivant, en fin de matinée, les enfants se rendent au village avec Dag. Ils laissent leurs vélos au bord du trottoir et ils se disposent à entrer dans la boutique quand François, regardant à travers la vitrine, annonce :

— Bastien est occupé avec un client.

— Tiens ! fait remarquer Mick. On dirait que Bastien se fâche. Il y a de l'orage dans l'air.

Claude s'approche de la porte ouverte et aperçoit l'antiquaire qui discute avec une espèce de colosse aux traits rudes, vêtu d'une chemise à carreaux orange, et offrant tout à fait l'aspect d'un pionnier du Far West.

— Regardez-moi un peu ce garçon-là ! s'exclame Mick, admiratif. Quels muscles ! Quelle carrure ! Un vrai cow-boy de cinéma… Eh ! L'ami Bastien devient rouge comme un coq… Que se passe-t-il donc ?

Claude n'a que le temps de s'écarter de la porte et de tirer Annie qui se trouve juste derrière elle. Le « cow-boy » sort de la boutique, l'air aussi furieux que Bastien.

— Puisque vous ne voulez pas le vendre, gardez-le donc, votre sale truc ! s'écrie-t-il furibond en passant près des enfants sans les voir.

— Bien sûr que je garde ma statue ! réplique Bastien sur le même ton. Je me tue à vous répéter que je ne veux pas m'en séparer.

Tandis que l'hercule à la chemise à carreaux s'éloigne en grommelant, Bastien aperçoit les enfants.

— Ah ! vous voilà ! Décidément, Tocotoc a du succès ! Savez-vous que l'espèce de malabar qui sort d'ici voulait l'avoir lui aussi et m'en offrait… devinez un peu… Vingt mille euros ! Incroyable !

Claude fronce les sourcils.

— Bizarre ! dit-elle. Voilà la seconde proposition exagérée que l'on vous fait. Le client élégant d'avant-hier semblait désireux de

satisfaire un caprice de sa femme. Mais celui-ci n'a ni l'allure d'un amateur d'art, ni celle de quelqu'un de très riche…

— Bien observé ! fait Bastien. Aussi je suppose que c'est le client numéro un qui, n'osant reparaître lui-même, m'a envoyé le gaillard numéro deux. S'ils pensent me faire céder, ils se trompent. Je peux vous sembler idiot, mais ce n'est pas avec de l'argent qu'on peut me faire tourner en bourrique. Quand j'ai dit non, c'est non !

Là-dessus, Bastien éclate de rire et redevient le joyeux garçon qu'il est naturellement.

— Heureusement qu'Alain, mon associé, n'est pas ici en ce moment ! Il m'arracherait les yeux s'il savait que j'ai refusé une si belle offre !

Claude est à la fois soucieuse et ravie… Soucieuse car elle soupçonne que les propositions des deux inconnus cachent quelque chose de louche. Et ravie parce qu'elle croit sentir les Cinq en face d'un nouveau mystère à débrouiller. Déjà, dans sa tête, elle l'intitule : « le mystère de la statue parlante ».

Dag s'est mis à renifler l'air autour de Tocotoc. Bastien, qui s'en aperçoit, s'exclame avec entrain :

— On dirait que Dagobert flaire du louche, lui aussi ! Je me demande bien en quoi Tocotoc paraît si précieux à certaines personnes. Tout compte fait, je me félicite de ne pas l'avoir vendu… Il sera toujours temps de le faire plus tard… une fois qu'Alain et moi nous l'aurons fait expertiser ! Décidément, il y a quelque chose qui m'échappe.

— À votre place, se permet de conseiller François, je ne laisserais plus la statue sur le trottoir, devant la porte.

Bastien s'esclaffe :

— Bah ! Elle est bien trop lourde pour qu'on la chipe au passage. J'imagine mal un voleur la fourrant dans sa poche et s'enfuyant avec en courant !

Annie et ses frères rient à leur tour, mais Claude reste silencieuse. Elle pressent que la valeur secrète de Tocotoc – si vraiment la statue avait une valeur cachée – ne se trouvera pas révélée par une simple expertise…

chapitre 4

Quelle tuile !

Ce soir-là, dans le jardin des *Mouettes*, Claude expose à ses cousins sa façon de penser.

— Écoutez. Je suis sûre qu'un mystère entoure Tocotoc. Les propositions extravagantes des deux visiteurs de Bastien ne semblent pas être une simple plaisanterie.

— C'est aussi mon avis, déclare François.

— D'accord avec toi ! dit Mick de son côté.

— Je le pense également, ajoute Annie.

— Ouah ! fait Dagobert.

Claude prend un air de grande résolution.

— À partir d'aujourd'hui, décide-t-elle, le Club des Cinq doit ouvrir les yeux et les oreilles. Je ne serais pas surprise que cette

affaire ait une suite. Nous devons être prêts à intervenir... surtout s'il s'agit de venir en aide à Bastien. D'accord ?

— D'accord ! répondent en chœur ses cousins.

— Ouah ! répète Dago.

Le jeudi, à Kernach, est jour de marché. La population locale et des alentours se donne rendez-vous au village pour vendre ou acheter. L'été, la foule habituelle s'augmente de l'afflux des touristes, acheteurs ou simples curieux. Cela crée, sur la grand-place et dans les rues avoisinantes, une animation pittoresque dont raffolent les enfants.

Ce jeudi-là, donc, dans l'après-midi, les Cinq prennent plaisir à déambuler entre les étalages des forains. Annie, soucieuse d'être agréable à tante Cécile, achète des fleurs à son intention. Claude s'amuse à feuilleter de vieux livres exposés à la devanture d'un bouquiniste. Mick fait l'emplette d'un couteau de poche. François suit avec intérêt le marchandage plein d'astuce de deux maquignons. Après quoi, les Cinq s'installent sous un parasol à la terrasse d'un café de la grand-place. Tous, y compris Dag, se régalent de crème glacée à la pistache et aux noisettes.

D'où ils sont, les enfants peuvent surveiller la boutique de leur ami Bastien. Les visiteurs s'y succèdent. Puis leur flot s'amenuise... Bientôt, les forains commencent à plier bagage, les uns après les autres. Certains doivent effectuer un long parcours pour rentrer chez eux.

Quand Claude et ses cousins voient que Bastien est seul, ils quittent la terrasse ensoleillée pour aller le rejoindre. À la porte, Tocotoc, magnifique et imposant, fait toujours office de sentinelle.

À peine les Cinq ont-ils franchi le seuil du magasin que le téléphone sonne sur le comptoir. Bastien sourit aux enfants, s'excuse auprès d'eux d'un geste de la main et va décrocher le combiné.

— Allô ! lance-t-il dans l'appareil.

— ...

— La gendarmerie ?.... Oui, moi-même !... Claude, qui observe l'antiquaire, le voit soudain changer d'expression.

— Quoi ! Que dites-vous ? s'exclame-t-il. J'aurais renversé un enfant avec ma voiture ? Mais c'est faux ! Archifaux !

— ...

— Comment ! Je suis accusé de délit de fuite par-dessus le marché !

Inimaginable !... Vous désirez des éclaircissements ?...

— ...

— Écoutez ! J'ai l'impression d'entendre une histoire de fou. Cependant si, comme vous dites, cet accident s'est produit hier, entre cinq et six, au quartier des Pêcheurs, j'ai un alibi ! Je n'ai pas quitté ma boutique de la journée.

— ...

— Oui, oui, j'ai des témoins !... Puisque je vous certifie que je n'ai même pas sorti ma voiture hier !

Bien sûr, Claude et ses cousins n'entendent pas ce que dit l'interlocuteur de Bastien. Mais la conversation, qu'ils suivent malgré eux, est parfaitement intelligible.

— Comment ! Il faut que je me présente immédiatement à la gendarmerie ?... C'est préférable, dites-vous ?... Mais mon magasin... Bon ! Bon ! Je vais m'arranger... Tout de même, quelle histoire ! Oui, oui, j'arrive. Le temps de fermer ma boutique !

Bastien raccroche, l'air stupéfait et consterné à la fois.

— Ça, alors ! s'écrie-t-il en se tournant vers les enfants. Voilà une tuile incroyable qui me tombe sur la tête ! On m'accuse

d'avoir renversé un gosse et pris la poudre d'escampette sans me soucier de ma victime. Quelle monstrueuse erreur ! Il faut bien vite que j'aille me justifier auprès des gendarmes. Quelle histoire, alors, quelle histoire !

Le pauvre Bastien est bouleversé de ce qui lui arrive. Comme il est depuis peu dans la région, il ne sait au juste où se trouve la nouvelle gendarmerie, construite assez loin du village après l'incendie qui a détruit l'ancienne. Obligeamment, les enfants proposent de l'y accompagner.

Bastien se gratte le crâne, l'air embarrassé.

— C'est-à-dire, murmure-t-il, que j'aurais aimé vous demander un autre genre de service. Cela m'ennuie de fermer le magasin ! Vous auriez pu rester ici pour retenir les clients jusqu'à ce que je revienne. Je ne pense pas être longtemps absent !

Claude prend une décision rapide.

— Il vaut mieux que mes cousins aillent avec vous, déclare-t-elle. Le chemin de la gendarmerie est difficile à indiquer. Mais moi, pendant ce temps, je peux très bien rester ici avec Dag. Nous garderons le magasin. Partez sans inquiétude.

Bastien, tout content, accepte la proposition.

Bastien, François, Mick et Annie prennent place dans l'Estafette de l'antiquaire. Claude, debout sur le seuil de la boutique, voit la voiture disparaître au coin de la rue voisine. Elle caresse Dag qui se frotte contre elle.

— Nous voilà seuls ! murmure-t-elle. Je n'en suis pas tellement fâchée. Cela va me permettre d'examiner à loisir Tocotoc. Dommage seulement que Bastien l'ait laissé sur le trottoir !

Mais Claude n'a pas le temps de mettre son projet à exécution. Déjà un client s'avance vers elle. À sa grande surprise, elle reconnaît l'étranger aux cheveux noirs, à l'accent espagnol, qui a tant insisté pour acheter le dieu bolivien. Sans trop savoir pourquoi, elle se dit qu'il doit être sud-américain, comme Tocotoc. Il s'approche sans même la remarquer, les yeux fixés sur la statue de bois.

— Bonjour, monsieur, lance Claude. Désirez-vous quelque chose ? Le marchand d'antiquités s'est absenté un instant, mais il ne va pas tarder à revenir. En attendant, voulez-vous entrer ?

L'inconnu a un bref froncement de sourcils, puis sourit.

— Bonjour, jeune homme ! répond-il, prenant Claude pour un garçon. Oui, j'aimerais jeter un coup d'œil sur… euh… ces petites épingles anciennes que vous avez en exposition. Elles ont l'air finement travaillées.

Claude est enchantée. Les épingles portent une étiquette indiquant leur prix. Si elle peut en vendre une, Bastien sera content. Un instant, elle a craint d'être obligée d'engager une discussion à propos de Tocotoc. Mais l'étranger a sans doute renoncé à acquérir la statue.

— Certainement, monsieur, acquiesce-t-elle en sortant la boîte d'épingles de la vitrine. Choisissez vous-même.

Le « Sud-Américain » jette un coup d'œil aux babioles d'argent, en saisit une et la tend à Claude :

— Je prends celle-ci.

— Cela fait vingt-cinq euros, annonce Claude, tout heureuse.

— Tenez ! Voici un billet de cent. Je n'ai pas de monnaie.

Claude n'en a pas davantage. Elle-même a prié Bastien de fermer le tiroir-caisse

à clé avant de partir, par mesure de précaution. Elle hésite à peine. Dag suffira à garder la boutique en son absence tandis qu'elle-même courra changer le billet au café.

— Je vais aller faire de la monnaie, décide-t-elle. Ne touchez à rien en mon absence, ajoute-t-elle sur un ton d'excuse. Mon chien vous dévorerait.

L'homme sourit.

— Je vais attendre dehors, dit-il en suivant Claude sur le trottoir et en tirant la porte vitrée derrière lui. Ce sera plus prudent…

Claude part comme une flèche. Cependant, arrivée au centre de la place, encore encombrée des derniers étalages des forains, elle s'arrête net, frappée d'une pensée soudaine :

« Et si cet homme avait de mauvaises intentions ? S'il avait fait exprès de me confier un gros billet pour m'éloigner du magasin ? Après tout, il désirait si fort Tocotoc qu'il serait peut-être bien capable de le voler ! »

En songeant au poids de la grosse statue, Claude se rassure un peu. Comme Bastien l'a déclaré à François, Tocotoc n'est pas un bibelot que l'on fourre dans sa poche.

Toutefois, un obscur instinct la fait se retourner. Cachée par une charrette chargée de pots de fleurs et de plantes vertes, elle peut voir sans être vue… et ce qu'elle voit la cloue sur place…

chapitre 5

Une camionnette suspecte

Là-bas, devant la boutique d'antiquités, le « Sud-Américain » n'a certes pas l'air d'attendre sa monnaie en se tournant les pouces.

On le sent pressé par le temps. D'un geste qui trahit son impatience, il fait signe d'avancer à une camionnette arrêtée non loin de là.

Cette camionnette, Claude se rappelle l'avoir vue parmi de nombreux autres véhicules en stationnement aux abords de la grand-place. La voiture a dû passer inaperçue aux yeux de la plupart des gens. Mais la jeune détective est très observatrice. C'est même l'aspect passe-partout de la camionnette qui a attiré son attention. Il s'agit

d'un véhicule gris, banal, ni très neuf ni très vieux, avec une plaque d'immatriculation difficilement lisible tant la couche de poussière qui la recouvre est épaisse. Bref, il n'a rien de remarquable.

En marche arrière, la camionnette vient s'arrêter près de la boutique de Bastien. Son conducteur saute à terre. Claude retient une exclamation : il s'agit de l'hercule en chemise à carreaux, celui que Mick a baptisé « cow-boy de cinéma » !

— Ainsi, murmure la jeune détective, Bastien avait raison. Le Sud-Américain et le cow-boy sont de mèche, ils en veulent à Tocotoc… Oh ! J'avais raison moi-même de me méfier. L'homme aux cheveux noirs a saisi le premier prétexte pour m'éloigner. Si le coup du billet à échanger n'avait pas marché, il aurait trouvé autre chose, c'est sûr. Et maintenant, avec l'aide de l'hercule, il va bel et bien enlever la statue. Mais je ne les laisserai pas faire !

Furieuse d'avoir été jouée, Claude bondit en avant pour empêcher les deux hommes de s'approprier l'effigie du dieu bolivien…

Juste à temps, d'ailleurs. Les bandits empoignent déjà Tocotoc et, unissant leurs forces, le soulèvent de terre.

Puis, avec des gestes rapides et précis, ils le déposent à l'arrière de la camionnette, dont l'abattant est baissé. Claude serre les poings.

« Avec l'aide de Dago, songe-t-elle, je saurai bien les empêcher de démarrer. Nous allons voir ce que nous allons voir ! »

Ce qu'elle voit, hélas ! ce sont... trente-six chandelles ! En effet, dans sa précipitation, la jeune détective trébuche sur un cageot vide et va donner de l'épaule contre une petite charrette pleine de melons invendus. La charrette bascule, les melons roulent sur le sol...

— Maudit gamin ! crie la marchande en apercevant Claude penaude. Tu ne peux pas faire attention ?

— Je regrette, bredouille Claude, très ennuyée. J'ai trébuché... je suis tombée...

À sa voix, la marchande comprend qu'elle a affaire à une fille... et à une fille bien élevée.

— Bah ! Ce n'est pas très grave ! reprend-elle d'une voix radoucie. Ces fruits sont encore verts. Ils ne se sont même pas abîmés en dégringolant.

Claude craint d'être retardée par une discussion qui n'en finira plus. Soulagée, elle

remercie d'un mot la brave femme et repart en courant… Hélas ! Elle a perdu du temps malgré tout et a la terrible impression d'arriver trop tard… Le cow-boy a déjà repris place derrière son volant, le Sud-Américain s'est hissé à côté de lui sur le siège, l'abattant de la camionnette est relevé, le moteur ronfle… Les deux hommes vont partir, emmenant Tocotoc !

Claude sent son cœur battre avec une telle force qu'elle en a presque le souffle coupé.

Il lui reste encore quelques mètres à parcourir.

« Cela ne peut pas se passer ainsi ! Je ne le permettrai pas ! » se répète Claude en fournissant un ultime effort.

Elle atteint enfin la boutique d'antiquités. De l'autre côté de la porte vitrée, Dago semble avoir deviné qu'un drame se joue : il aboie, saute et se démène comme un démon. Claude se rappelle alors avec quelle habileté l'homme aux cheveux noirs a enfermé le chien en sortant du magasin.

« Trop tard ! pense-t-elle avec désespoir. Je n'ai plus le temps d'ouvrir à Dago. Il faudra que je me passe de lui ! »

En effet, à cette seconde précise, la camionnette s'ébranle. Dans un dernier élan, Claude bondit sur l'abattant, l'agrippe des deux mains et, grâce à un rétablissement digne d'un acrobate, se hisse à l'intérieur du véhicule. Celui-ci tourne le coin de la rue et prend de la vitesse… Une fois de plus, Claude se trouve lancée en pleine aventure…

Affalée sur le dur plancher de la camionnette, la jeune détective a du mal à reprendre haleine. Elle maudit tout bas le cageot qui l'a fait trébucher, les melons qui l'ont retardée et, par-dessus tout, regrette de ne pas avoir Dago à ses côtés.

« J'ai agi sans avoir le temps de réfléchir, se dit-elle. Essayons de faire le point. »

Certes, elle n'a pas abandonné Tocotoc puisqu'il est là, allongé à côté d'elle. Mais que peut-elle faire contre deux hommes solides ? Et comment leur reprendre leur butin ?

« Tocotoc est cent fois trop lourd pour que je puisse le récupérer à moi seule, songe Claude, désolée. Je ne peux rien faire d'autre que de me laisser conduire jusqu'au repaire des bandits et, ensuite, dénoncer ceux-ci à la police ! »

Encore faut-il que l'intrépide Claude ne soit pas découverte d'ici là !

Décidée à agir pour le mieux, au gré des circonstances, Claude regarde avec précaution autour d'elle. Seul un morceau de bâche flottante sépare la cabine du reste de la camionnette. À moins de soulever ce pan de toile, les deux bandits ne peuvent apercevoir leur jeune passagère.

« Voilà toujours un point d'acquis ! » pense-t-elle, rassurée.

Une autre bâche dissimule Tocotoc. Claude juge prudent de se glisser sous cette toile protectrice qui la cachera, elle aussi. Après quoi, en dépit de sa position assez inconfortable, elle se met à réfléchir…

« Que va-t-il se passer quand nous arriverons au terme du voyage ? Je risque fort d'être attrapée par les voleurs quand ils viendront prendre la statue… Oh ! J'ai une idée ! Comme ils quitteront forcément la cabine pour passer à l'arrière, j'en profiterai, moi, pour passer sur le siège avant… Sinon… Bah ! Je verrai bien ! »

Claude se rend parfaitement compte qu'elle se trouve dans une situation délicate. Malgré tout, elle veut envisager l'avenir avec optimisme. Si seulement, à

défaut de ses cousins, Dagobert se trouvait auprès d'elle !

Depuis un moment, la camionnette cahote, dans un bruit de ferraille, sur un chemin plein d'ornières maltraitant fort la pauvre Claude. Soudain, les secousses deviennent moins rudes, le bruit diminue considérablement. En allongeant le cou hors de sa cachette, Claude s'aperçoit que l'on roule à présent sur une route nationale, bien goudronnée.

Brusquement, elle tend l'oreille. Les deux bandits parlent ensemble. Leurs voix sont assez distinctes pour que Claude puisse saisir une partie de ce qu'ils disent :

— Alors, Antoine, tu ne dis rien ? Tout s'est pourtant déroulé selon le scénario que j'avais imaginé… Tu pourrais au moins me féliciter…

Claude reconnaît l'accent chantant de l'homme aux cheveux de jais. Le chauffeur répond d'un ton bourru :

— Ouais ! Ta ruse aurait fort bien pu échouer. Quand j'ai appelé l'antiquaire de la cabine téléphonique en lui faisant croire qu'il avait la gendarmerie au bout du fil, je pensais qu'il se contenterait de fermer vivement boutique et d'accrocher l'écriteau

« Fermé » à sa porte. Dans son affolement, il aurait négligé de rentrer la statue, comme tu l'avais prévu. Du reste, il n'en aurait même pas eu le temps puisque la police le réclamait d'urgence ! Le malheur a voulu que ces maudits gosses aient été avec lui et que l'un d'eux soit resté pour garder le magasin en compagnie du chien.

— Allons ! Avoue que je me suis bien débrouillé pour les neutraliser tous les deux. De quoi te plains-tu ?

— De rien, Luis ! Mais le coup aurait pu rater, je le répète. Enfin, nous avons récupéré le bout de bois auquel le patron tient tant et nous…

La voiture fait une embardée. Le dénommé Antoine lance un juron : il a failli (à ce que comprend Claude) écraser un gros dindon qui traverse la route. Les deux complices reprennent leur conversation, mais Claude n'apprend rien de plus sinon que le patron pour lequel travaillent Luis et Antoine s'appelle Kopac.

« Cet entretien a un peu éclairé ma lanterne, se dit Claude. Il s'agit d'une bande organisée. Reste à savoir pourquoi ce Kopac désire s'approprier Tocotoc. De ce côté-là, le mystère reste entier… et j'ignore tou-

jours quelle est notre destination… Enfin, attendons ! »

La camionnette roule depuis environ une demi-heure. Claude, forcée de rester immobile, sent ses membres s'engourdir peu à peu. Une vague somnolence commence à l'envahir quand, soudain, une exclamation d'Antoine l'arrache à sa demi-torpeur :

— Oh ! là ! là ! Ce qu'il fait chaud ! J'ai une de ces soifs !

— Moi aussi, dit Luis. Je boirais bien quelque chose.

— Un demi de bière bien fraîche, voilà ce qu'il nous faut ! On va s'arrêter au prochain bistrot. Nous en profiterons pour téléphoner à Kopac que tout va bien.

La voiture parcourt encore un kilomètre, puis Antoine freine. Claude se fait toute petite sous sa bâche, tandis que la camionnette se gare.

« Pourvu, pense le chef des Cinq, que ces bandits n'aient pas l'idée de venir jeter un coup d'œil à Tocotoc ! »

Au même instant, elle entend les deux hommes qui sautent au bas de leur siège. Ils semblent se diriger vers l'arrière du véhicule. Claude n'hésite pas. Elle sort sans bruit de sa cachette, se coule sous le pan

de toile flottante qui la sépare de la cabine et s'allonge sur la banquette... Au bruit des pas qui s'éloignent, elle se rend compte alors qu'elle s'est trompée. Luis et Antoine songent davantage à étancher leur soif qu'à venir voir la statue.

Claude se redresse avec précaution. Quand ses yeux sont au niveau de la vitre à sa droite, elle aperçoit de dos les bandits se hâtant vers une auberge de routiers, que l'on devine fraîche et accueillante. Ils s'y engouffrent sans songer à se retourner une seule fois.

Claude pousse un gros soupir de soulagement. Non seulement Luis et Antoine ne l'ont pas découverte, mais elle reste seule avec Tocotoc. À tout prix, elle doit mettre à profit cette halte inespérée de la camionnette et de son équipage.

chapitre 6

Balivernes

Comment récupérer la statue et s'échapper avec ? Le problème semble insoluble... Claude réfléchit, les yeux fixés sur le restaurant de routiers. Son cerveau inventif passe rapidement en revue diverses solutions.

« À la rigueur, réfléchit Claude, je pourrais faire tomber Tocotoc sur la route et le pousser ensuite sous le camion. Alors, de deux choses l'une : ou les bandits démarreront sans se douter de rien, ou ils s'apercevront que la statue a disparu et alors... En somme, je n'ai qu'une chance sur deux de réussir... et encore ! »

Elle envisage autre chose.

« Peut-être, se dit-elle, ferais-je mieux d'entrer dans cette auberge et d'accuser

publiquement Luis et Antoine de vol ? Reste à savoir si les gens me croiraient. Je ne suis qu'une enfant et la parole des bandits pèserait plus lourd que la mienne, sans doute. Non, décidément, mon idée n'est pas fameuse. Il faut que je trouve mieux que cela ! »

Le temps passe, et elle n'a pas encore déniché la solution qu'elle cherche. Luis et Antoine peuvent revenir à tout moment et alors… l'occasion de triompher d'eux sera passée.

« Si j'ameute les gens, songe-t-elle encore, et même si l'on me croit, Luis et Antoine auront tout le temps de filer avant que je sois au bout de mon histoire. »

Soudain, la jeune détective interrompt son monologue intérieur. Elle répète à mi-voix :

— Ils auront le temps de filer…

Alors, ses yeux s'arrondissent et se mettent à pétiller de malice. Elle ajoute, comme si elle s'adressait cette fois à Tocotoc toujours allongé sous sa bâche :

— Et si nous filions les premiers, mon vieux, qu'en dis-tu ?

Là-dessus, elle se glisse jusqu'au siège du conducteur, s'y installe puis regarde autour

d'elle, repérant l'emplacement des pédales, du frein, du contact.

— Tu vois, continue-t-elle. Je cherchais un moyen de t'emporter, mon brave Tocotoc, et je crois bien l'avoir trouvé. Je ne peux pas te transporter à bout de bras, mais je possède un moyen de locomotion épatant : cette camionnette où tu es déjà installé !

Car l'intrépide Claude a brusquement songé à cette solution : prendre le volant et fuir dans la voiture de ses adversaires, soustrayant ainsi à leur nez à la fois la statue parlante et le moyen de la rattraper…

Bien entendu, vu son jeune âge, Claude n'a pas son permis de conduire. Elle ne sait pas non plus piloter. Cependant, à force d'observer ses parents pendant les trajets en voiture, elle sait où se trouvent l'accélérateur, le frein, le débrayage. Tenir le volant ne doit pas être tellement difficile, à son avis.

« Ma foi, pense la jeune téméraire, je ne ferai ni excès de vitesse, ni demi-tour. Je conduirai lentement, jusqu'au village voisin où je trouverai bien une gendarmerie. »

En dépit de son intrépidité, Claude sent ses mains trembler quand elle empoigne le volant et tourne la clé de contact. Elle

réussit du premier coup à faire ronfler le moteur. Cette victoire l'enhardit en lui donnant confiance.

Avec précaution, elle appuie sur la pédale de gauche que son pied a peine à atteindre. En même temps, elle passe la première vitesse, chose facile puisqu'un petit dessin gravé sur le levier indique clairement en quel sens il faut l'actionner… Ensuite, comme elle l'a vu faire à sa mère, elle lève doucement le pied gauche tout en pressant l'accélérateur du droit.

La pauvre Claude, brusquement, se trouve secouée comme une laitue dans un panier à salade. On dirait que la camionnette a le hoquet. Cramponnée au volant, la jeune conductrice ne perd cependant pas son sang-froid. Elle est résolue à fuir avec Tocotoc. Elle doit réussir !

— Courage, mon vieux ! lance-t-elle au dieu bolivien.

Et là-dessus, mâchoires serrées, elle accélère. La camionnette prend un peu de vitesse et hoquette moins fort. Mais la pauvre Claude a bien du mal à lui faire suivre normalement le côté droit de la route.

Elle n'a pas parcouru deux cents mètres qu'il lui semble entendre des cris et un

grand remue-ménage derrière elle. Luis et Antoine se sont-ils lancés à sa poursuite ?

La camionnette continue à avancer, tantôt assez uniformément, tantôt par bonds. Claude n'ose pas jeter un coup d'œil au rétroviseur. Elle est bien trop absorbée par la conduite…

Un tournant en épingle à cheveux ! Claude serre les dents, s'agrippe ferme au volant et, sans freiner, aborde le virage…

Au même instant, une voiture arrive en sens inverse. Claude, jugeant qu'elle-même roule trop au milieu de la route, donne un brusque coup de volant sur la droite. Déportée, elle a l'impression qu'un arbre vient à sa rencontre à vive allure. Elle tente de braquer dans l'autre sens, mais… trop tard ! Son pied cherche la pédale du frein. Il n'a même pas le temps de l'atteindre ! La camionnette va heurter l'obstacle de plein fouet.

Claude n'a jamais compris comment elle a pu échapper à la mort ce jour-là ! Plus tard, on lui expliquera que le tournant étant en côte, la vitesse du véhicule, déjà réduite, a encore diminué au moment de l'accident.

Quoi qu'il en soit, Claude se retrouve saine et sauve… mais assez rudement assise sur le talus herbeux. La camionnette s'est

emboutie contre l'arbre. Sous le choc, Tocotoc a fait un saut pour atterrir de son côté sur l'herbe, au bord de la route.

Claude, quoique secouée, se relève. De l'autre bout d'un champ voisin, trois paysans accourent déjà. La voiture qui vient de croiser la camionnette s'arrête à son tour. Un couple et une petite fille en descendent pour se précipiter vers Claude.

— Es-tu blessé ? Et où sont les autres ? demande le conducteur.

— Je crois que je suis indemne, répond Claude qui achève de se tâter. Quant aux autres… j'étais seule à bord de cette camionnette !

Un des paysans fronce les sourcils.

— Tu te moques de nous. Un gamin de ton âge n'est pas autorisé à toucher un volant. Avoue que tu faisais une fugue dans la camionnette de ton père…

— Je crois plutôt, coupe un autre, que ce garçon a tout bonnement volé ce véhicule !

D'habitude, Claude trouve amusant de passer pour un garçon. Mais elle ne peut supporter l'idée qu'on la prenne pour un voleur, elle, réputée pour sa scrupuleuse honnêteté et son extrême franchise. Toute rouge, elle se dresse comme un jeune coq.

— Je n'ai rien volé du tout ! s'écrie-t-elle avec indignation. Au contraire, c'est en essayant d'échapper à deux voleurs que j'ai eu cet accident.

— Les voleurs te couraient donc après ? reprend le conducteur de la voiture d'un ton ironique. C'est le monde à l'envers !

— Ton histoire ne tient pas debout, dit la femme qui l'accompagne.

— Regardez ! crie la petite fille. Une grande poupée en bois !

Et elle désigne Tocotoc dans l'herbe.

— C'est une statue que les bandits avaient volée, explique Claude.

— Et c'est pour cela que leur butin se trouvait dans ta camionnette ? fait un paysan d'un air narquois. Allons, mon garçon, tu nous as suffisamment raconté de balivernes. Nous allons te conduire aux gendarmes.

Claude, très ennuyée de n'être pas crue, songe que si on l'emmène à la gendarmerie, Tocotoc restera au bord de la route, exposé à être repris par Luis et Antoine quand ceux-ci passeront par là.

— Je veux bien vous accompagner à la gendarmerie, réplique-t-elle. Je m'y serais d'ailleurs rendue de ma propre initiative.

Mais il faut que quelqu'un veille sur cette statue en mon absence.

La petite fille fait un pas en avant.

— Je veux bien garder la poupée, moi ! propose-t-elle.

— Tais-toi, Valérie ! ordonne sa mère. Tu dis des sottises.

— Tout de même, cela me donne une idée, murmure l'automobiliste qui réfléchit. Nous allons nous charger à la fois de ce garçon et de la statue. Le gamin montera avec nous en voiture. Quant à cette espèce de totem en bois, ajoute-t-il en s'adressant aux paysans, aidez-moi donc à le hisser sur « mon fixe-toit », voulez-vous ?...

Les trois paysans ont vite fait d'arrimer Tocotoc sur la galerie. Claude a presque le sourire. Elle se fait évidemment du souci pour la camionnette endommagée par sa faute, mais, en même temps, elle se félicite d'avoir damé le pion à Luis et à Antoine : dans un instant, Tocotoc et elle-même se trouveront sous la protection des autorités !

Docilement, elle accepte de monter à côté du conducteur – un certain M. Laval – tandis que la petite Valérie et sa mère prennent place sur la banquette arrière. La voiture démarre. M. Laval a annoncé aux paysans

témoins de l'accident qu'il compte s'arrêter à la gendarmerie du village de Saint-Rémy. Pour cela, on doit passer devant le restaurant de routiers où Luis et Antoine se sont désaltérés. Juste comme on y arrive, Claude aperçoit les deux bandits qui, ayant fait de l'auto-stop, s'apprêtent à monter dans une Estafette. Aussitôt, elle s'écrie :

— Arrêtez, monsieur ! Arrêtez ! Voilà mes voleurs ! Ils sont là, près de cette voiture. Empêchez-les de filer !

— Tu ne m'impressionnes pas, mon jeune ami, riposte M. Laval avec froideur. Tu espères sans doute me glisser entre les doigts à la faveur d'une halte. Mais n'y compte pas ! Je te tiens et ne te lâche pas !

Luis et Antoine, de leur côté, ont aperçu Claude qui gesticule et aussi, sur le toit de la voiture des Laval, la statue parlante. Comprenant qu'il ne peut plus être question de rattraper leur butin, ils s'engouffrent dans l'Estafette qui démarre dans la direction opposée à celle prise par M. Laval : les deux hommes ne songent plus qu'à fuir.

Claude se démène de plus belle.

— Je ne mens pas, monsieur ! hurle-t-elle. Faites demi-tour, je vous en supplie. Il faut poursuivre ces voleurs jusqu'à leur repaire.

Nous saurons alors où se terre le chef de la bande !

Valérie écoute Claude avec émerveillement. Elle se croit au cinéma. Mais son père se contente de sourire.

— Décidément, tu as de l'imagination, lance-t-il à Claude. Ton histoire est amusante. Il ne te reste plus qu'à la débiter aux gendarmes… et à espérer qu'ils la croiront ! Nous voici arrivés !

chapitre 7

Intrépide et épatante

La voiture s'est arrêtée devant une bâtisse blanche et coquette dont l'aspect aimable contraste avec l'accueil réfrigérant du brigadier de gendarmerie qui reçoit les Laval et Claude.

— Je vous écoute ! annonce-t-il d'un air lugubre à M. Laval qui se met sur-le-champ à raconter à sa manière l'accident de la camionnette.

— Ce garnement était seul au volant du véhicule. C'est un miracle qu'il n'ait pas tamponné notre voiture arrivant en sens inverse. À mon avis, ou il faisait une fugue, ou il avait volé la camionnette... peut-être pour s'approprier la statue exotique que nous avons trouvée dans l'herbe à côté de

lui et que vous voyez là-bas, attachée sur ma galerie.

Le brigadier jette un coup d'œil aux papiers d'identité que lui tend M. Laval, puis se tourne vers Claude.

— À toi de parler ! dit-il en roulant des yeux terribles. Tu vas nous dire qui tu es, et gare à toi si tu mens !

— Je n'ai pas l'habitude de mentir ! proteste Claude avec vivacité. Mais j'affirme que M. Laval se trompe et que tout ce qu'il vient de dire, ou à peu près, est faux !

— Comment ! Tu oses me donner le démenti ! s'écrie le papa de Valérie. Attends un peu que je te frotte les oreilles, mon garçon !

Claude, indignée, fait un bond en arrière.

— Pour commencer, réplique-t-elle, je ne suis pas un garçon. Je m'appelle Claude Dorsel. Mon père est bien connu dans le pays. Ensuite, je n'ai pas volé cette camionnette. Elle contenait une statue de bois dérobée à un antiquaire par deux gredins qui se trouvaient à bord. J'ai profité d'une halte et bondi au volant. J'ai démarré. Je… je voulais conduire jusqu'à la plus proche gendarmerie et faire arrêter les malfaiteurs

mais… euh… j'ai eu un pépin en route et… je suis bien fâchée…

Son air de sincérité frappe le brigadier. M. et Mme Laval regardent Claude avec étonnement et intérêt. Valérie bat des mains en riant.

— Tu es une fille ! Tu es une fille !

Le brigadier connaît de nom M. Dorsel et réclame à Claude des éclaircissements sur son aventure. Elle ne se fait pas prier pour en faire le récit détaillé.

— Très bien ! conclut enfin le brigadier, convaincu de sa bonne foi. Nous allons téléphoner à votre père, mademoiselle.

Claude frémit. Elle sait combien son père est sévère. Il la punira certainement avec rigueur pour s'être fourrée dans un mauvais cas.

— S'il vous plaît, demande-t-elle au brigadier, pourriez-vous téléphoner aussi à M. Bastien Lezun, à Kernach ? C'est à lui qu'appartient le dieu bolivien. Il sera bien content de le récupérer !

Le brigadier appelle donc les deux numéros. M. Dorsel, au bout du fil, ne perd pas son temps en discours.

— J'arrive ! annonce-t-il simplement d'un ton sec.

Bastien est plus loquace. Il promet également de faire diligence, ajoutant qu'il amène avec lui François, Mick et Annie... sans oublier Dagobert !

Tandis que deux gendarmes, appelés par le brigadier, descendent Tocotoc de la galerie, Claude attend ses cousins avec impatience, en espérant qu'ils arriveront les premiers. Par chance, il en est ainsi. À peine l'Estafette de Bastien s'est-elle arrêtée devant la gendarmerie que Dag bondit à terre et se précipite à l'intérieur du bâtiment. Sautant sur Claude, il lui débarbouille le visage à grands coups de langue affectueux.

— Ouah ! Ouah !

— Dag ! Mon chien ! Comme tu m'as manqué !

Dans son exubérance, Dago renverse la petite Valérie au passage. En voulant retenir sa fille, Mme Laval heurte son mari qui va buter contre le bureau du brigadier. Celui-ci, en tendant la main pour aider M. Laval à se redresser, fait basculer une pile de feuillets qui s'envolent dans toutes les directions. Claude, Valérie et ses parents se précipitent pour ramasser les feuilles fugitives. Le brigadier et les

gendarmes les imitent. Dago continue à bondir et à aboyer. Le tumulte est indescriptible. Là-dessus, Bastien, François, Mick et Annie passent le seuil. Bientôt, tout le monde se trouve à quatre pattes, ce qui ajoute encore à l'exaltation de Dago. En effet, le brave chien s'imagine que chacun a adopté cette position pour se mettre à sa portée. Aussi lèche-t-il avec ardeur tout ce qui lui tombe sous la langue : bras, mains, visages, même la moustache du brigadier !

Enfin, le brigadier et les deux gendarmes se relèvent, un peu congestionnés. Les feuillets retrouvent leur place sur le bureau. L'ordre se rétablit peu à peu. On peut enfin s'entendre. Bastien, François, Mick et Annie s'empressent autour de Claude.

— Si tu savais comme nous avons eu peur en découvrant la boutique fermée et Dago prisonnier à l'intérieur !

— Nous ignorions ce que tu étais devenue.

— Et Tocotoc qui avait disparu lui aussi !

— Nous pensions bien qu'il avait été volé et que tu étais à la poursuite de ses ravisseurs !

Tous parlent à la fois. Les Laval écoutent, l'air un peu ahuri. Le brigadier frappe du

poing sur sa table pour réclamer le silence. Puis, se tournant vers Bastien :

— Je vous écoute, monsieur, lui dit-il. Il paraît que cette statue, que mes hommes ont déchargée tout à l'heure, vous appartient et vous a été volée ?

Bastien raconte son histoire :

— Vous vous rendez compte ! Cet appel téléphonique que j'ai reçu, c'était un coup monté pour m'éloigner de ma boutique. Et moi, comme un nigaud, qui me suis précipité à la gendarmerie !

L'antiquaire, continuant son récit, explique que les gendarmes de Kernach l'ont écouté avec ahurissement : ce n'était pas eux qui l'avaient convoqué !

— Alors, j'ai compris que quelqu'un m'avait joué un mauvais tour. Avec les enfants, je suis retourné en vitesse au magasin. Trop tard ! Claude et Tocotoc avaient disparu ! Sans Claude, j'aurais perdu un objet de prix. Il n'y a pas de meilleur détective qu'elle. Elle est courageuse, intrépide, épatante…

— Et désobéissante aussi ! ajoute soudain une voix grondeuse.

Tout le monde se retourne. M. Dorsel se tient sur le seuil. Il est entré inaperçu et a écouté sans broncher la tirade de Bastien.

Loin de joindre ses éloges aux siens, il est tellement contrarié d'avoir été dérangé dans ses travaux pour venir chercher sa fille qu'il pose sur elle un regard glacé. Claude soutient ce regard.

— Papa, commence-t-elle d'une voix ferme, j'ai été trop pressée par le temps pour pouvoir te prévenir par téléphone. Un vol se commettait sous mes yeux. Qu'aurais-tu fait à ma place, sinon songé à poursuivre les voleurs ?

M. Dorsel fait claquer sa langue avec agacement.

— Là n'est pas la question, riposte-t-il. Tu te doutais bien qu'il était dangereux de te lancer aux trousses des malfaiteurs, surtout toute seule. Une fois pour toutes, il faut que tu te corriges de ta folle témérité.

— Mais, papa…

— Ne discute pas. Tu seras punie, et sévèrement.

La sonnerie du téléphone l'interrompt. Le brigadier décroche… Après quelques minutes de conversation avec son interlocuteur invisible, il raccroche et regarde M. Dorsel.

— J'ai des nouvelles ! déclare-t-il. La camionnette des bandits, dont votre fille

nous a communiqué le numéro après avoir eu la présence d'esprit de le noter, est un véhicule volé. Quant aux bandits dont le signalement a été diffusé par mes soins, ils restent pour l'instant introuvables.

Un sourire adoucit sa physionomie quand il précise :

— À votre place, monsieur, je ne me montrerais pas trop sévère pour Mlle Claude. Elle a du cran et de l'esprit d'initiative. Sans elle, M. Lezun aurait subi une grosse perte.

— Je sais ce que j'ai à faire, merci ! réplique sèchement M. Dorsel.

Le brigadier juge prudent de ne pas insister. Claude garde le silence. Bastien se retient de plaider la cause de sa jeune amie. François, Mick et Annie, navrés, sentent de leur côté que mieux vaut ne pas s'opposer à leur oncle, pour le moment du moins. On verra par la suite…

Quelques instants plus tard, les diverses dépositions ayant été enregistrées et toutes les formalités accomplies, M. Dorsel, Bastien et les Cinq se retrouvent dehors.

Fort obligeamment, les deux gendarmes ont déjà enfourné Tocotoc dans l'Estafette de l'antiquaire. Celui-ci s'approche du

père de Claude. Sa bonne figure exprime l'inquiétude.

— Monsieur, dit-il avec embarras, je dois une fière chandelle à votre fille. Mais je vais augmenter ma dette de reconnaissance en vous demandant un service, à vous personnellement.

— Quoi donc ? s'enquiert M. Dorsel.

— Eh bien ! Si ça ne vous ennuie pas trop, pourriez-vous héberger pour quelque temps mon dieu en bois ? Si je le ramène au magasin, je crains fort que ces malfrats ne cherchent à nouveau à me le barboter. Personne ne saura qu'il est chez vous !

M. Dorsel ne peut s'empêcher de sourire à ce langage.

— C'est entendu, répond-il simplement. Vous n'avez qu'à me suivre jusqu'à la villa… Montez, les enfants !

Les deux voitures partent donc l'une derrière l'autre. Aux *Mouettes,* tandis que M. Dorsel aide Bastien à installer Tocotoc dans la remise, tante Cécile accueille avec chaleur le retour des Cinq.

— En apprenant que tu t'étais fourrée une fois de plus dans la gueule du loup, confie-t-elle à Claude, j'ai eu une belle peur à retardement. Quand donc cesseras-tu de

te risquer ainsi dans des aventures dangereuses, ma chérie ?

— Maman, c'est l'occasion qui m'a poussée.

Annie s'interpose.

— Tante Cécile ! Ne pourrais-tu intervenir auprès d'oncle Henri quand il reviendra ? Il a parlé de punir sévèrement Claude.

— C'est vrai, renchérit Mick. Elle ne le mérite pas.

— Tâche d'adoucir la sentence, veux-tu ? demande François à son tour.

— J'essaierai, mes enfants, je vous le promets.

Malheureusement, M. Dorsel se montre inflexible.

— Demain, annonce-t-il à sa fille, nous devions tous aller au cinéma en soirée, tu le sais. Eh bien, je conduirai là-bas ta mère et tes cousins, mais tu resteras à la maison.

Il s'agit d'un film d'aventures que Claude a particulièrement envie de voir. Le cœur gros, elle se mord les lèvres sans répondre. Annie, les yeux pleins de larmes, tente encore de fléchir son oncle, mais il l'arrête dès les premiers mots :

— Inutile d'insister, Annie. Il faut guérir Claude de ses dangereux coups de tête, dans son intérêt même !

Là-dessus, M. Dorsel aiguille la conversation sur Tocotoc que Bastien se propose de ne mettre en vente qu'une fois de retour dans la capitale. D'ici là, il préfère ne pas exposer chez lui cette incompréhensible source d'ennuis.

chapitre 8

Un examen plus détaillé

Le « mystère Tocotoc » occupe encore l'esprit des enfants ce soir-là quand ils montent se coucher. Avant de se séparer pour la nuit, ils grimpent au grenier pour discuter.

— Je suis bien fâchée, commence Annie, que tu sois privée de cinéma demain, ma pauvre Claude.

— Bah ! fait l'intrépide en fronçant les sourcils. Cela ne m'empêchera pas de vivre mes propres aventures à défaut d'applaudir celles du héros du film ! Et nous triompherons, vous verrez ! Aux Cinq, rien d'impossible !

La journée du lendemain se passe assez tristement. Il pleut. Les enfants en ont vite assez de se promener sous un crachin qui

semble ne vouloir jamais finir. Ils occupent leur après-midi à des jeux tranquilles. François, Mick et Annie éprouvent de la peine à l'idée d'aller sans Claude voir le film attendu avec tant d'impatience. Claude, en revanche, fait preuve d'un bel entrain. En réalité, elle crâne.

Dans la soirée, quand ses parents et ses cousins sont partis, cette gaieté factice l'abandonne. Après avoir aidé Maria à faire la vaisselle, elle va jouer avec Dag au jardin.

— Au fond, dit-elle à son inséparable, j'ai de la chance. J'aurais été bien plus punie si papa m'avait privée de ta compagnie. Nous deux, on ne s'ennuie jamais ensemble, pas vrai ?

— Ouah ! Ouah ! répond Dag en bondissant.

La nuit tombe bientôt. Claude rentre.

— La cuisine est rangée, déclare Maria. Je vais en profiter pour me coucher de bonne heure.

Claude lui souhaite bonne nuit… et s'ennuie soudain.

— Qu'allons-nous faire pour passer le temps, mon vieux Dag ! soupire-t-elle. Ah ! J'ai une idée. Allons voir comment se porte Tocotoc dans la remise. S'il cache un mys-

tère, c'est le moment ou jamais de le découvrir. Je suis seule. J'ai tout mon temps. À nous de jouer, mon chien !

Seule une ampoule de faible puissance éclaire la remise. Claude juge utile de se munir d'une torche électrique garnie d'une pile neuve. Elle a l'intention d'examiner le dieu bolivien centimètre carré par centimètre carré s'il le faut. Déjà, elle l'imagine recelant un message secret, un plan permettant d'accéder à un trésor ou, encore, la formule d'une invention extraordinaire datant de l'époque des Incas.

Suivie de Dag, Claude sort de la maison et se dirige vers la remise. Le clair de lune inonde le jardin. Claude tient à la main la clé de la remise, qu'elle a eu soin d'aller prendre dans le bureau de son père. Elle l'introduit dans la serrure et la tourne. Le battant cède avec un faible grincement.

Claude fait entrer Dago, pénètre à son tour et referme la porte. À la lueur de l'ampoule suspendue au plafond, Tocotoc apparaît, plus imposant, plus impénétrable que jamais.

— Ah ! On peut dire que tu ne livres pas facilement ton mystère, toi, mon vieux ! grommelle Claude en pressant le bouton de

sa lampe de poche. Voyons ! Par où vais-je commencer ? marmonne-t-elle encore en projetant le faisceau lumineux sur la statue de bois.

À cette seconde précise, Dag, à côté d'elle, émet un léger grondement et se précipite vers la porte. Quelque chose – ou quelqu'un – l'a alerté. Claude réagit avec la rapidité qui la caractérise.

— Chut ! souffle-t-elle au chien tout en bondissant elle-même vers la porte.

En même temps, elle éteint l'ampoule du plafond et sa lampe électrique. Puis, elle reste immobile dans l'ombre, une main posée sur l'échine de Dag, l'oreille tendue. Sous ses doigts, elle sent les poils du chien se hérisser.

— Chut ! répète-t-elle en avertissement.

Un bruit de voix lui parvient.

— Cet imbécile d'antiquaire a cru nous jouer…

— La statue est bouclée là-dedans.

— Et j'ai vu toute la famille partir en voiture.

— Attends ! Avec mon rossignol, je viendrai vite à bout de la serrure…

Luis et Antoine !… Ils sont en train de contourner la remise dont les minces

parois laissent filtrer les bruits extérieurs. D'ailleurs, les deux bandits ne se soucient même pas de parler bas. Sans doute croient-ils vraiment que la villa est vide de ses habitants.

« Ils ont dû suivre Bastien de loin, se dit Claude. Ils savent que la statue est entreposée ici ! »

La situation est critique. Si les deux hommes trouvent Claude sur le chemin... Claude qui a déjà contrecarré leurs projets... sans doute se vengeront-ils sur elle de leur précédent échec. Et ils emporteront Tocotoc.

Claude, que la nécessité d'agir empêche d'avoir peur, raisonne très vite :

« Décidément, Tocotoc a une valeur inestimable aux yeux de ces bandits. Je dois empêcher cette statue de tomber entre leurs mains. Mais que faire ? Je suis seule avec Dag. Et Tocotoc tout vieux qu'il est semble bien incapable de s'aider lui-même... »

Soudain, son œil s'allume. Et pourquoi pas ? Après tout, Tocotoc a une particularité qui peut fort bien être utilisée pour sa sauvegarde.

Aussitôt, Claude passe à l'exécution du plan qu'elle vient d'imaginer en un clin

d'œil... À pas de loup, suivie de Dag, elle va se poster derrière la statue. Déjà, croyant la serrure fermée à clé, l'un des bandits fourrage dedans avec une pince de cambrioleur. Claude se hausse sur la pointe des pieds et crie dans le masque de la statue :

— Qui va là ? Il y a quelqu'un à la porte. Tu entends, papa ?

Puis, enflant encore sa voix dont le volume s'amplifie jusqu'à devenir formidable :

— Tu as raison ! Je vais voir !

Claude devine, derrière la porte, les deux hommes effarés. La statue sonore déformant et amplifiant la voix, la multipliant même, Antoine et Luis ont certainement l'impression qu'au moins deux personnes décidées se trouvent dans la remise.

— Je lâche les chiens avant d'ouvrir ! crie encore Claude dans le masque.

Puis, sortant de la cavité de la statue, elle saisit Dag et l'élève jusqu'à la hauteur du visage de Tocotoc.

— Aboie ! Aboie, mon vieux ! ordonne-t-elle.

Dag comprend et, enchanté, se met à aboyer de toutes ses forces :

— Ouah ! Ouah ! Ouah ! Ouah !

Claude, le tenant à bout de bras, l'éloigne et le rapproche successivement du masque amplificateur. Un seul chien aboie. On dirait qu'ils sont toute une meute... À l'extérieur, un bruit de galopade informe Claude du succès de sa ruse. Elle lâche Dago et commence à rire : les bandits viennent de détaler et, certainement, ils ne reviendront pas de sitôt !

Néanmoins, Claude remet à plus tard l'examen détaillé de la statue. Elle préfère monter bonne garde jusqu'au retour de sa famille... Escortée de son fidèle Dagobert, elle patrouille dans le jardin pendant près de deux heures. Aucun incident nouveau ne se produit.

M. et Mme Dorsel sont très étonnés de trouver Claude debout. Celle-ci se garde bien de les mettre au courant du cambriolage raté. Elle se contente de chuchoter à ses cousins :

— En votre absence, Antoine et Luis sont revenus. Ils voulaient de nouveau voler Tocotoc. Dago et moi, nous les avons mis en déroute.

Puis elle les entraîne dans la maison.

— Vite, Claude, raconte ! supplie François.

— Comme tu as dû avoir peur ! soupire Annie.

— Penses-tu ! lance Mick. Claude n'a jamais peur.

— Montons au grenier ! décide Claude. Nous parlerons !

Quelques instants plus tard, les Cinq, une fois de plus, tiennent conseil au milieu des malles et de vieux cartons. Quand Claude a relaté son aventure par le menu, elle conclut :

— Cette fois, pour ne pas irriter papa ni inquiéter Bastien, je propose que nous ne soufflions mot de cette nouvelle tentative d'enlèvement. Nous mènerons seuls notre enquête.

— Comme toujours ! souligne François en souriant. En attendant, je vais poser un verrou supplémentaire sur la porte de la remise. J'en ai vu un neuf dans la caisse à outils.

— Mais pourquoi s'obstine-t-on à vouloir voler Tocotoc ? demande Annie. Il n'est pas en or massif, tout de même !

— Ni même en bois très précieux, si l'on en croit Bastien, ajoute Mick.

— Ce n'est même pas une marchandise facilement camouflable, fait remarquer

François. Qui pourrait en avoir envie ? Peut-être un collectionneur d'anciens dieux en bois.

— Je pense plus que jamais, dit Claude, que cette statue parlante recèle un secret. Je me proposais de l'examiner à fond quand Antoine et Luis sont arrivés.

— Pourquoi ne le ferions-nous pas ensemble et tout de suite ? s'écrie Mick en sautant sur ses pieds.

— Pourquoi pas, en effet ! répète Claude. Eh bien, allons-y ! Papa et maman sont déjà couchés. Ne faisons pas de bruit.

À la queue leu leu, les Cinq descendent sur la pointe des pieds. Ils parviennent sans encombre à la remise et s'y engouffrent en silence.

Claude confie sa lampe de poche à Annie :

— Éclaire-nous, Annie, pendant que nous regardons la statue de près. François ! Mick ! Saisissez Tocotoc et allongez-le sur le sol. Nous serons plus à l'aise pour l'examiner !

Les deux garçons s'emparent de la statue mais, au moment où ils s'apprêtent à la renverser doucement à terre, Dag, poursuivant une souris imaginaire, passe entre les jambes de Mick et le fait trébucher. Mick lâche le

dieu bolivien qui frappe le sol avec un bruit sourd.

— Flûte ! dit Claude. J'espère que tu n'as pas esquinté ce pauvre Tocotoc ! C'est Bastien qui serait content !

François s'accroupit pour s'assurer que la statue n'est pas endommagée. Annie braque sur elle le rayon de sa lampe.

— Oh ! s'écrie le garçon consterné. Tu as fait du bel ouvrage, Mick ! Regarde un peu !

Claude, Mick et Annie se penchent en avant. François leur montre du doigt la poitrine de la statue, décorée d'un pectoral sculpté dans le bois. Sous le choc, cet ornement, qui affecte la forme d'un soleil, s'est fendu.

— Allons, bon ! grommelle Mick. Bastien va me sonner les cloches. Passe-moi la lampe, Annie, que je constate les dégâts !

Le faisceau lumineux, dirigé sur la fissure du bois, accroche un reflet à l'intérieur.

— Mais ce truc-là est creux ! constate Mick. Oui, oui, il y a quelque chose dedans… quelque chose qui brille fameusement ! Attendez ! Je vais essayer de le dégager avec mon couteau !

Le jeune garçon déplie vivement la grande lame de son solide couteau de poche et se

penche sur le pectoral de bois. L'ornement en forme de soleil est une espèce de boîte, si bien ajustée à la statue, qu'elle semble sculptée à même la masse.

Le choc, survenant après celui de l'accident de voiture, l'a en partie détachée du bloc de bois. Très ému, Mick glisse la lame de son couteau dans la fissure. Il a l'impression de toucher d'abord quelque chose de mou, ensuite quelque chose de dur.

— Attends ! l'interrompt François. Il y a une pince longue et fine dans le coffre à outils.

La pince fait merveille. Sous les yeux intéressés de ses compagnons, Mick commence par retirer du pectoral… un énorme morceau d'ouate.

— Pourtant, commente Annie, ce n'est pas ce tampon qui brillait par la fente tout à l'heure !

— Non, convient à son tour Claude. Ce coton est sans doute destiné à caler et protéger autre chose. Essaie encore, Mick !

chapitre 9

Le soleil d'opale

Mick replonge sa pince et, cette fois, ramène une pierre étincelante mais vraisemblablement fixée à un objet plus gros car, après l'avoir tirée hors du pectoral, Mick ne réussit pas à l'en détacher. Il lâche prise. La pierre disparaît dans sa cachette.

— Il faut séparer le soleil de la statue, dit François. Nous y verrons plus clair ensuite… si j'ose dire.

Une simple pesée à l'aide d'un ciseau à froid achève de détacher la boîte en forme de soleil. François a vu juste. La boîte n'a pas de fond. Une fois ôtée, elle laisse voir la poitrine du dieu bolivien. Et sur cette poitrine, parmi les bourres de coton, étincelle un joyau extraordinaire : la copie exacte du

premier soleil, mais non plus en bois… en or massif et pierres précieuses !

Les enfants, le souffle coupé, regardent l'admirable bijou. Dag lui-même semble fasciné… Le soleil bolivien est constitué par un disque d'or d'où partent une multitude de rayons terminés par des gemmes blanches et vertes d'une grosseur extraordinaire ! Sans s'y connaître en pierres précieuses, les enfants devinent aisément qu'il s'agit de diamants et d'émeraudes de grande valeur. C'est donc là le secret de la statue parlante !

— Tocotoc nous a enfin livré son mystère ! s'écrie Claude.

— C'était une véritable cachette au trésor ! murmure François.

— Voilà pourquoi Kopac tenait tant à reprendre Tocotoc ! comprend Mick. Le dieu bolivien servait à introduire des pierres précieuses en fraude dans le pays.

— Mais Bastien ne peut pas être le complice des bandits, fait remarquer Annie. Alors, pourquoi est-ce à lui qu'on a expédié la statue ?

Les trois aînés se regardent. Avec sa voix douce, la petite Annie vient de souligner un détail important.

— C'est vrai, ça ! admet Claude. Nous voici en présence d'un nouveau mystère. Bastien, coupable, se serait empressé de retirer le soleil bolivien de sa cachette. Donc, il ne sait rien !

— Mais d'autres sont au courant, enchaîne François. À mon avis, c'est par erreur que Tocotoc a été livré à Bastien. Il faut essayer de tirer cette affaire au clair.

— Tu sais comment est Bastien ! soupire Mick. Il jette toujours très vite ses emballages, pour ne pas s'encombrer. Celui de Tocotoc doit être détruit depuis belle lurette. S'il y a eu erreur d'adresse, comment savoir ?

— Qu'allons-nous faire ? demande Annie.

— Mener une nouvelle enquête et essayer de pincer les bandits ! déclare Claude d'une voix ferme.

François considère sa cousine d'un air soucieux.

— Ne vaudrait-il pas mieux alerter la police ? interroge-t-il.

— Jamais de la vie ! Si nous racontons notre histoire aux gendarmes, la presse en parlera. Kopac, Antoine et Luis, sans compter les bandits que nous ne connaissons pas encore, auront tôt fait d'apprendre la

nouvelle. Ils se hâteront de disparaître. Et alors, comment les attraper ?

— Ce serait dommage de les laisser filer, fait remarquer Mick, car ils doivent appartenir à une vaste organisation ayant pour but de frauder les douanes. Claude a raison : ne disons rien !

— Vous savez, insiste François, la police est plus indiquée que nous pour arrêter ce trafic.

— François ! Écoute donc ! coupe Claude avec impatience. Je propose de tendre une souricière ici même, dans cette remise. L'enjeu est trop gros pour que les bandits n'essaient pas une fois de plus de voler Tocotoc. Ce serait tellement merveilleux si nous les prenions au piège !

Le chef des Cinq expose alors son plan à ses cousins. On passe immédiatement à l'exécution. Mick remet avec soin en place le pectoral de bois. François, très habile de ses doigts, fabrique, sur les indications de sa cousine, un dispositif électrique qui, relié à un gros réveil fixé dans le masque de la statue, doit donner l'alarme dès qu'on essaiera de soulever Tocotoc… Le « *dring dring* » du réveil, amplifié, sera assez puissant pour réveiller les hôtes de la villa.

— J’espère que ce système d’alarme fonctionnera une de ces nuits prochaines, murmure Claude. Tenons-nous prêts à bondir tous ensemble !

Quand les enfants rentrent enfin se coucher, Claude emporte avec elle le soleil bolivien qu’elle se propose de déposer entre les mains de Bastien le jour suivant.

Le lendemain matin, Bastien Lezun est absolument stupéfait du récit que lui font les enfants, réunis avec Dag dans son arrière-boutique.

— Et voilà pour vous convaincre que vous ne rêvez pas ! achève Claude en tirant du carton à chaussures l’énorme et inestimable soleil bolivien.

À la vue du joyau, l’antiquaire reste bouche bée. Puis :

— Mais… bégaie-t-il. C’est… c’est… Ooh ! Aah !… Hu… Bon Dieu de bois, va !

Le pittoresque juron tombe si fort à propos que les quatre cousins éclatent de rire. Dag aboie. Mais déjà Bastien s’est emparé du bijou et l’examine à l’aide d’une loupe.

— Travail remarquable… ancien… parfaitement authentique… gemmes admirables… une véritable pièce de musée !

Il a à peine l’air de croire ce qu’il voit.

— Je vais enfermer ce soleil dans un coffre, à la banque de la ville voisine, déclare-t-il enfin. Mais je me demande s'il est sage de ne rien dire encore à la police.

— Oh ! Bastien ! Je vous en prie ! s'écrie Mick. Je suis de l'avis de Claude. Si les bandits apprennent que leur trafic est découvert, ils disparaîtront dans la nature et nous ne pourrons jamais remonter jusqu'au chef de bande !

Bastien, qui a le goût de l'aventure, finit par se laisser convaincre.

— Il me semble, dit François, que nous devrions commencer cette nouvelle enquête en examinant le lot des objets que vous avez reçus en même temps que la statue parlante.

— Il faut aussi examiner les emballages, si vous les avez encore ! rappelle Annie.

— Ah ! les emballages, je les ai jetés ! répond Bastien. Mais les autres marchandises, elles, sont toutes là. Je n'en ai encore vendu aucune !

Il s'agit d'un lot de petites urnes de bronze, expédiées de Bolivie avec Tocotoc. Les jeunes détectives et l'antiquaire ont beau les examiner avec le plus grand soin, elles se révèlent sans le moindre mystère…

— La seule chose dont je sois certain, affirme Bastien, c'est de n'avoir jamais commandé moi-même Tocotoc et ces urnes. Alain, mon associé, auquel j'ai finalement écrit, m'a répondu ce matin même qu'il n'avait de son côté jamais passé aucune commande avec la Bolivie !

— J'avais donc raison ! s'exclame Claude, triomphante. Ces objets vous ont bien été adressés par erreur. Si seulement nous pouvions savoir à qui ils étaient destinés !

Mais il est trop tard ! Sans les emballages, il est impossible de vérifier l'adresse de l'expéditeur, celle du destinataire, tel et tel détail, qui auraient peut-être fourni aux jeunes détectives de précieux indices...

— Inutile de nous lamenter ! tempère François. Restons vigilants et attendons que les bandits fassent un faux pas.

— Peut-être un fait nouveau viendra-t-il éclairer notre lanterne, suggère Annie.

— Tu parles d'or ! répond Mick en riant. Seulement, ma petite, les rêves correspondent rarement aux réalités. Personnellement, je ne crois pas aux miracles. Je compte davantage sur le bon fonctionnement du système d'alarme que sur un atout qui nous tomberait du ciel !

Cependant, la suite des événements va donner tort à Mick et raison à Annie... En attendant, trois jours et trois nuits s'écoulent sans que rien ne soit tenté contre Tocotoc...

Cette période d'attente pèse à Claude. La nuit, elle se réveille souvent en sursaut, croyant avoir entendu sonner le réveil dans la remise. Mais rien ne se produit.

Un matin, après le départ de M. et Mme Dorsel, qui doivent rester absents huit jours, une nouvelle fait dresser l'oreille aux jeunes détectives. Ils sont dans le jardin, en train de ratisser les allées, une radio posée près d'eux dans l'herbe, quand un journaliste annonce les informations :

— Le Pérou et la Bolivie sont actuellement écumés par des bandes fort bien organisées qui se spécialisent dans le pillage des musées. Ceux de La Paz, Cuzco et Lima ont eu particulièrement à déplorer leur visite. On suppose que les antiquités dérobées – qui remontent pour la plupart à l'époque des Incas – sont introduites en fraude dans différents pays d'Amérique et d'Europe pour y être vendues sous le manteau à de riches amateurs d'art... À Paris, la nouvelle mode d'automne...

Mick appuie sur le bouton, cherchant une autre station.

— Vous avez entendu ? s'écrie-t-il. Je me demande si les vols signalés n'ont pas un rapport avec…

Il s'interrompt pour écouter. Une autre station donne également les informations, mais plus détaillées :

— Le musée de La Paz, en dépit de l'activité de la police bolivienne, n'a toujours pas retrouvé le fameux « soleil de l'Inca », dérobé voici plus d'un mois. Cette pièce unique, représentant un disque d'or massif avec rayons sertis de diamants et d'émeraudes, n'a pratiquement pas de prix. Interpol a été prévenue, mais, jusqu'ici, aucune piste n'a été relevée.

Mick coupe l'émission. Les enfants se regardent.

— Eh bien, dit François, nous voilà fixés !

chapitre 10

Fausse adresse

Abandonnant râteaux et tondeuses, les enfants enfourchent leurs vélos et, suivis de Dag, prennent la route de Kernach. Parvenus devant la boutique d'antiquités, ils constatent qu'elle est envahie par des touristes arrivés en car. Il ne reste plus qu'à tuer le temps en attendant de pouvoir parler à Bastien. François en profite pour acheter une revue d'art dont la couverture vient d'attirer son attention. Le numéro, bien en vue dans la vitrine du libraire, est consacré aux bijoux de l'époque des Incas. En fait, ce n'est pas une coïncidence : l'actualité a guidé la plume des auteurs.

La revue parle entre autres du fameux soleil volé au musée de La Paz. Mais,

comme l'expert qui en révèle les particularités est mieux documenté que le journaliste de la radio, il donne à ses lecteurs des détails supplémentaires. C'est ainsi que Claude et ses cousins apprennent que le disque d'or, loin d'être massif, est creux et contient un merveilleux disque d'opale sur lequel les anciens prêtres ont gravé des inscriptions magiques. Ce « soleil d'opale » ajoute encore à la valeur de l'ensemble.

Dès que Bastien est libre, on lui annonce les nouvelles.

Il soupire :

— Bé ! Il ne manquerait plus que la police déniche le soleil dans mon coffre en banque. On me prendrait pour le receleur de ces gredins.

— Voyons, Bastien ! proteste Claude. Nous sommes là pour témoigner.

— Tout de même, jeunes gens, il faudrait avertir les autorités. Avec tout ce tam-tam autour du soleil d'opale, il n'est pas raisonnable de continuer à se taire. Le musée de La Paz est impatient de récupérer son bien.

— Et nous de pincer les voleurs ! rappelle Claude.

Les enfants ont du mal à convaincre Bastien de patienter un peu plus. Il s'y résigne enfin, de mauvaise grâce.

Claude rentre aux *Mouettes* sans entrain. L'enquête piétine plus que jamais. C'est à devenir enragé. La douce Annie, voyant sa cousine de mauvaise humeur, tente gentiment de la dérider.

— Tante Cécile et oncle Henri viennent de s'absenter pour une huitaine, lui rappelle-t-elle. Les voleurs l'apprendront peut-être et chercheront à enlever Tocotoc une de ces prochaines nuits. Alors, le signal d'alarme fonctionnera et…

— Et ils seront bien capables de nous filer entre les doigts ! répond Claude d'un ton bourru.

Par une curieuse ironie du sort, ce qui se passe cette nuit-là aux *Mouettes* donne raison en partie à Annie et tout à fait à Claude : les voleurs tentent d'enlever Tocotoc… et ils y réussissent, le système d'alarme n'ayant pas fonctionné…

Lorsque les Cinq descendent, le lendemain matin, pour prendre leur petit déjeuner, ils trouvent Maria d'humeur grondeuse.

— Lequel de vous a laissé le portail ouvert, hier soir ? demande-t-elle. Ne vous

ai-je pas répété cent fois de toujours le tenir fermé à clé après la tombée de la nuit ?

Claude lève des yeux étonnés sur la cuisinière.

— Aucun de nous n'est sorti hier soir, fait-elle remarquer. Nous sommes restés ici, à regarder un film à la télévision.

— Alors, c'est sans doute Dag ! lance Maria sur un ton ironique. Ce matin, je le répète, la grille était ouverte.

Les jeunes détectives se regardent avec inquiétude. La même pensée leur est venue à tous. Tocotoc ! Et si les bandits l'avaient enlevé ?

D'un même élan, ils se ruent vers la remise…

Claude est la première à arriver au but. Alors, elle s'arrête, sidérée : la porte de la remise est ouverte… et le dieu bolivien a disparu. Le chef des Cinq ne peut que bégayer :

— To… Toto… Tocotoc ! Il n'est plus là !

Consternés, François, Mick et Annie regardent à leur tour.

— Le signal d'alarme n'a pas fonctionné ! dit Mick. Ou alors, nous ne l'avons pas entendu !

Dag pousse un bref aboiement et court droit à un petit tas indistinct, au centre de

la remise, là où la veille encore se dressait Tocotoc.

— Ouah ! Ouah ! fait-il en manière d'appel.

Claude le rejoint. Elle voit alors ce que le chien flaire : les débris lamentables de ce qui a été le gros réveil et le dispositif d'alarme, tordus et embrouillés à plaisir. Juste à côté, un papier attire son regard. Elle le prend, le parcourt et, d'un geste de dépit, le froisse et le jette à terre. François le ramasse et lit à haute voix ces quelques mots écrits au stylo à bille en caractères d'imprimerie :

« *NOUS EMMENONS LA STATUE EN PROMENADE. DES GAMINS COMME VOUS NE DEVRAIENT JAMAIS QUITTER LEUR NOURRICE. TENEZ-VOUS-LE POUR DIT. LA PROCHAINE FOIS QUE VOUS AURIEZ ENVIE DE VOUS MÊLER DE NOS AFFAIRES, IL VOUS EN CUIRA. EN ATTENDANT, SI VOUS VOULEZ SAVOIR L'HEURE, ACHETEZ UN AUTRE RÉVEIL. LE VÔTRE A EU UN PETIT ACCIDENT !* »

Claude est folle de rage : non seulement les bandits triomphent, mais ils se moquent des jeunes détectives.

— Et moi qui souhaitais qu'il se passe quelque chose ! s'écrie-t-elle. Je suis servie ! Oh ! mais les Cinq n'ont pas dit leur dernier mot. Je trouverai bien un moyen de pincer ces misérables !

Soudain, Claude se calme un peu, et souriant presque :

— En attendant, ajoute-t-elle, Kopac n'a toujours pas le soleil d'opale. Je vois d'ici sa tête quand il ôtera le pectoral de bois et trouvera la cachette vide de tout trésor !

— Antoine et Luis vont se faire taper sur les doigts de belle manière ! Ha ! ha ! ha ! s'exclame Mick en riant.

Mais François reste grave.

— Quand Kopac s'apercevra de la disparition du soleil bolivien, fait-il remarquer, il nous en tiendra sans doute pour responsables et viendra nous demander des comptes.

— Oh ! mon Dieu ! murmure Annie en pâlissant un peu.

— De toute façon, conclut Claude, il faut prévenir Bastien au plus tôt.

Mis au courant du vol de la statue parlante, l'antiquaire décide aussitôt de porter plainte contre X… sans grand espoir de récupérer Tocotoc, évidemment. Mais il lui faut jouer le jeu…

— Quand ton père reviendra, Claude, j'agirai de concert avec lui. Nous raconterons toute l'histoire à la police. Les voleurs finiront bien par être pris.

Insouciant à son habitude, Bastien ne pense même pas au danger qui peut menacer ses jeunes amis ou lui-même. Du reste, un nouveau sujet d'intérêt le sollicite. C'est ce qu'il annonce d'un air mystérieux aux enfants :

— Devinez un peu ce que j'ai reçu aujourd'hui…

C'est Annie qui trouve du premier coup :

— Un nouvel envoi de Bolivie !

— Tout juste ! Comment l'as-tu deviné ? Il s'agit de cinq très jolies statuettes en bois précieux, que je viens de déballer à l'instant. Venez les voir ! Nous allons les examiner ensemble !

Les cinq statuettes sont en bois dur, très lourd.

— Elles ne sont pas authentiques, déclare l'antiquaire, mais très agréablement façonnées tout de même. Chacune représente une divinité. Les gens sont très friands de ce genre de choses.

Tout à l'intérêt que ces statuettes présentent sur le plan professionnel, Bastien

oublie leur origine et le mystère qui, peut-être, les entoure… François le ramène au sens des réalités.

— Ces objets font-ils partie d'une commande que vous avez passée avec un correspondant bolivien ? demande-t-il.

— Non, justement ! C'est pour cela que je suis étonné…

— Vite ! s'écrie Claude. Examinons ces statuettes. Si elles comportent une cachette comme Tocotoc…

Bastien et les quatre cousins s'emparent chacun d'une statuette et la regardent de près. Chaque objet est soupesé, secoué, palpé, tapoté du bout des doigts, étudié à la loupe… François, le premier, pousse un hurlement de victoire.

— L'oreille de mon bonhomme remue ! Regardez !

Le jeune garçon fait pivoter l'oreille de la petite statue, dévisse cette espèce de bouchon, et démasque ainsi une cavité. La tête de la statuette est creuse : douze magnifiques émeraudes s'en échappent. Bastien s'exclame, examine les gemmes et déclare enfin avec émotion :

— Je parierais que ces pierres ont été desserties de bijoux anciens et rarissimes. Cela

se voit à la façon dont elles sont taillées. La bande des pilleurs de musées serait passée par là que je n'en serais pas surpris. Voyons les autres statuettes !...

Les oreilles des quatre autres divinités se dévissent également. Bientôt, sur la table de Bastien, s'amoncelle un véritable trésor de pierres précieuses.

Les jeunes détectives regardent leur ami.

— Bastien, dit Claude avec gravité, il faut vous attendre à recevoir des visites désagréables. Pour la seconde fois, une marchandise qui ne vous est pas destinée vous a été livrée par erreur. Les bandits vont vouloir récupérer leur butin. Prenez garde à vous !

— Ces gens-là font partie d'une bande mal organisée au fond ! riposte Bastien avec humeur. Ce sont peut-être de remarquables pilleurs de musées et de non moins remarquables contrebandiers. Mais, question expédition, il y a quelque chose qui cloche dans leur système !

— Les emballages ! jette soudain Claude. Vite, Bastien ! Il faut regarder l'emballage. Cette fois, au moins, nous avons un indice concret à nous mettre sous la dent !

— La dent... disons plutôt le nez ! réplique Bastien en riant.

Et, du doigt, il désigne Dago.

En effet, comme s'il avait compris de quoi il est question, le chien est en train de renifler une caissette et des papiers, entassés dans un coin de l'arrière-boutique.

— Tu flaires du louche, pas vrai Dag ? interroge Claude avec humour. Voyons un peu !

Elle se penche sur l'inscription marquant la caisse et, après l'avoir lue, constate :

— J'avais deviné juste ! Il y a là un indice de taille. Regardez !... L'adresse est ainsi libellée : *Magasin d'antiquités – Grand-Place – Fernach – France*... Comprenez-vous ? L'expéditeur des statuettes a écrit là-dessus *Fernach* et non *Kernach* !

— Et le colis est arrivé ici ! achève Annie.

— Tout s'explique, murmure François de son côté.

— Je ne comprends pas, marmonne Bastien. Ce n'est pas parce que l'expéditeur a marqué un F à la place d'un K que cela éclaire notre lanterne...

— On voit bien que vous n'êtes pas de la région ! lance Mick. Il existe bel et bien un village appelé Fernach, à trois kilomètres de Kernach. Il s'agit en vérité d'un village minuscule, mais il est fort possible qu'un

antiquaire s'y soit installé… Ce n'est donc pas l'expéditeur qui a mal rédigé l'adresse. Ce sont les livreurs qui auront mal lu l'étiquette ou qui l'auront lue trop vite. Comme aucun nom propre ne figure sur l'emballage et que votre boutique est déjà très connue dans la région, ils seront venus tout droit ici déposer ces statues… comme ils y avaient précédemment déposé Tocotoc, certainement !

François semble soudain tout joyeux.

— En somme, reprend-il, cette adresse nous fournit une piste sensationnelle. Il n'y a plus qu'à aller enquêter à Fernach et voir à quoi ressemble cet antiquaire qui tient boutique sur la grand-place…

— Nous irons là-bas aussitôt après déjeuner ! annonce Claude.

— Soyez très prudents, n'est-ce pas ? dit Bastien, déjà inquiet.

— C'est promis ! assure Annie en souriant.

Après avoir fait honneur au déjeuner de Maria, les Cinq se mettent en route dès le début de l'après-midi. Ils doivent pédaler, sous le chaud soleil d'été, durant trois bons kilomètres avant d'atteindre le village de

Fernach, niché au creux d'un vallon. Claude, soucieuse de ménager les pattes de Dag, l'a placé dans un panier fixé derrière sa selle.

Dago apprécie beaucoup cette façon de voyager.

Une fois à Fernach, les enfants décident d'approcher « l'ennemi » avec une prudence de Sioux sur le sentier de la guerre… Pour éviter de se faire remarquer, ils commencent par se séparer. Chacun aborde la place centrale par une rue différente. Le magasin d'antiquités, petit et crasseux, est facile à repérer : un véritable bric-à-brac s'entasse devant la porte. Les clients semblent plus que rares : inexistants !

Claude, qui a pensé à emporter une paire de jumelles, les règle à sa vue. Dissimulée derrière un panneau publicitaire vantant une certaine marque d'appareil photo, elle braque l'instrument sur la boutique. Presque aussitôt, elle voit surgir sur le seuil un homme qui vient fouiller dans le bric-à-brac. Ce doit être l'antiquaire.

— Bouh ! Quel antiquaire antipathique ! confie-t-elle à Dag. Trapu ! L'air d'une brute ! Avec des yeux durs et vifs !

Au même instant, elle entend l'homme appeler :

— Antoine ! Viens me donner un coup de main !

— Voilà, m'sieur Kopac !

L'hercule que Claude connaît bien sort à son tour de la boutique. Il n'y a plus de doute : le magasin de Fernach est bien le repaire des bandits !

Claude remet ses jumelles dans leur étui quand elle aperçoit un troisième homme qui traverse la place et rejoint les deux autres : c'est Luis, toujours aussi élégant.

Quelques instants plus tard, les Cinq se retrouvent près de leurs bicyclettes, qu'ils avaient laissées dans un fossé à sec. François et Mick font les mêmes observations que Claude. Annie, à sa manière, s'est montrée plus futée qu'eux encore ! Sous prétexte d'acheter du fil à la mercerie, elle a réussi à apprendre le nom des deux « employés » de « M. Kopac » : Luis Pénès et Antoine Badin !

chapitre 11

Une forteresse mal gardée

— Il paraît, dit encore Annie de sa voix douce, que la boutique reçoit plus de marchandises que de clients. Les touristes sont rares à Fernach. Les gens du pays se demandent même comment peut vivre ce pauvre « monsieur l'antiquaire » !

— Mais nous, nous le savons ! s'écrie Claude. Et nous allons faire en sorte de torpiller son joli petit commerce !

Les jeunes détectives enfourchent de nouveau leurs bicyclettes et, tout fiers du résultat de leur enquête, se hâtent de retourner à Kernach. Jamais ils n'ont pédalé avec autant d'ardeur !

— Alors, mes enfants ? demande Bastien en les voyant arriver.

— Alors… succès sur toute la ligne ! annonce Mick.

Claude se charge de relater les découvertes faites par les Cinq à Fernach.

— Vous aviez donc raison ! conclut Bastien. À présent que vous avez déniché le repaire des bandits, il ne nous reste plus qu'à dénoncer ces gredins à la police !

Claude se récrie :

— Sur quelles preuves les inculperait-on ? Non ! Non ! Avant de les dénoncer, il faut en savoir un peu plus long sur leurs activités et, si possible, les pincer la main dans le sac !

Elle regarde ses cousins et annonce d'une voix ferme :

— Ce soir, quand il fera nuit, nous retournerons à Fernach pour y poursuivre notre enquête à la faveur de l'obscurité.

— Je ne vous laisserai pas y aller seuls ! intervient Bastien. Je me sens responsable de vous ! Et puis, faire encore six kilomètres de route à vélo en pleine nuit… pas question ! Nous irons tous là-bas avec ma voiture… Et c'est moi qui agirai s'il faut agir. Compris ?

Claude et Mick ne sont pas très contents, mais François paraît satisfait. Le chef des

Cinq croit habile de ne pas protester mais, tout bas, se promet de n'en faire qu'à sa tête.

Mick, cependant, livre à l'antiquaire le résultat de ses réflexions personnelles.

— Vous êtes-vous demandé pourquoi les voleurs ne vous ont pas réclamé Tocotoc que l'on vous avait livré par erreur ? Tout simplement, à mon avis, pour ne pas avoir à dévoiler leur propre adresse, ce qui aurait attiré l'attention sur eux au cas où vous auriez déjà flairé quelque chose. C'est comme les statues que vous venez de recevoir ! Ils préféreront tenter de les récupérer directement… en les volant !

— Je pense aussi, poursuit François, que c'est par prudence que les envois boliviens sont expédiés à une adresse où ne figure pas le nom de Kopac.

— Et je pense, moi, ajoute Claude, que les bandits risquent de chercher à reprendre les statuettes cette nuit même. Voilà pourquoi vous ne devriez pas bouger de chez vous, Bastien !

L'antiquaire s'esclaffe.

— Ha ! ha ! Je te vois venir avec tes gros sabots, ma petite Claude ! Tu voudrais que les Cinq soient seuls à effectuer cette

expédition à Fernach. Mais je ne vous lâche pas. Je ne veux pas que vous vous exposiez. Quant aux statuettes, elles ne risqueront rien pendant deux ou trois jours… le temps que nos bandits s'aperçoivent qu'une fois de plus le colis n'a pas été livré au destinataire prévu ! Du reste, si ces gredins me les reprennent, ils n'emporteront que des coques vides ; ces pierres merveilleuses vont aller rejoindre le soleil de l'Inca dans mon coffre !

Claude, secrètement dépitée, se montre belle joueuse et éclate de rire. Tant pis ! Puisque Bastien insiste pour être de la partie, mieux vaut s'incliner de bonne grâce. Et puis, le transport en voiture offre des avantages ; il fera gagner du temps et épargnera de la fatigue…

Claude se dit aussi que l'absence momentanée de ses parents arrange bien ses affaires. Jamais M. Dorsel ne permettrait aux Cinq de rester dehors tard la nuit. Tandis qu'il est facile de tromper la vigilance de Maria qui, fatiguée par la grosse chaleur, monte en général se coucher de bonne heure.

À la nuit tombée, les quatre cousins se hâtent d'enfourcher leurs vélos et de

rejoindre Bastien. L'antiquaire les attend. Les enfants, laissant leurs bicyclettes, montent avec lui dans l'Estafette. Celle-ci démarre aussitôt.

Arrivé à Fernach, Bastien gare la voiture à l'entrée du village et déclare à ses jeunes passagers :

— Vous allez m'attendre ici, bien sagement. Je pars en reconnaissance. Quand je reviendrai, nous verrons ensemble ce qu'il convient de faire. Les circonstances nous guideront.

Annie s'apprête à acquiescer quand Claude lui presse le bras pour l'engager à se taire. Bastien disparaît dans la nuit…

— Ouf ! souffle Mick. Il ne nous a rien fait promettre.

— C'est ce que j'espérais, confie Claude. Je n'aime pas avoir les mains liées au moment de l'action.

— Mais… mais…, hasarde Annie, vous n'avez pas l'intention de désobéir à Bastien, n'est-ce pas ?

— C'est selon, réagit Claude. Cela dépendra des circonstances.

— De toute manière, nous n'agirons que s'il y a urgence, affirme François, toujours prudent.

Or, Claude estime qu'il y a urgence lorsque, au bout d'une heure, elle constate que Bastien n'est pas revenu.

— Il a dû lui arriver quelque chose. Allons voir !

Les Cinq se glissent en silence à travers le village endormi. Ils vont déboucher sur la place centrale quand une ombre se détache d'un mur et s'avance vers eux. C'est Bastien !

— Comment ! C'est vous ? interroge-t-il à mi-voix. Vous m'avez désobéi !

— Nous ne vous avions rien promis, rappelle Claude avec malice... Vous faites le guet, semble-t-il ?

— Oui, et pas en vain ! Nos suspects viennent de partir à bord d'une camionnette, pour Dieu sait quelle louche expédition !

Claude n'hésite pas une seconde.

— Profitons-en ! Entrons chez l'ennemi et voyons si nous ne dénichons pas Tocotoc !

Bastien et François la dévisagent du même air effaré. Puis l'antiquaire proteste :

— Tu n'y penses pas ! Tu veux entrer chez Kopac par effraction ?

Claude se met à rire.

— Oh ! non, dit-elle. Mais les forteresses les mieux gardées ont souvent un point faible. Je parie que si la porte de devant

est bien verrouillée et le rideau de fer bien cadenassé, nos bandits auront oublié de clore quelques ouvertures par-derrière. Allons toujours jeter un coup d'œil...

Si François et même Annie sont très raisonnables pour leur âge, Bastien en revanche a gardé un esprit tellement jeune qu'une aventure le tente toujours. La proposition de Claude le séduit et, tout en élevant des objections pour la forme, il finit par accepter de faire au moins le tour du pâté de maisons. Après tout, les bandits sont partis et l'on ne risque pas grand-chose.

— La boutique paraît avoir des dépendances, remises, garage et entrepôts, fait remarquer Claude. Séparons-nous en deux groupes qui partiront chacun de leur côté. Nous nous rejoindrons derrière les bâtiments. Bastien, prenez à droite avec François et Annie. J'irai à gauche avec Mick et Dago.

Personne ne songe à discuter ces dispositions.

— Viens vite, dit alors Claude à Mick. Ne perdons pas de temps. Nous ignorons quand les bandits comptent revenir.

Avec Mick, elle secoue la porte d'une petite remise attenante à la boutique, mais

le battant est solidement fixé. Suivis de Dag, les deux cousins tournent le coin de la rue. Ils font alors face à une autre porte, non moins solidement fermée, mais encastrée dans un mur assez bas. Au-delà se trouve vraisemblablement la cour servant d'entrepôt au magasin de bric-à-brac.

Au clair de lune, les deux cousins échangent un regard de complicité.

— Allez, hop ! chuchote Claude. Fais-moi la courte échelle !

Sans un mot, Mick s'adosse au mur et, de ses mains aux doigts entrelacés, fait un marchepied à Claude.

chapitre 12

La plage des Goélands

En un clin d'œil, le chef des Cinq se hisse sur le mur et, leste comme un chat, retombe sans bruit de l'autre côté. Trois secondes plus tard, elle tire le simple verrou qui ferme la porte. Mick et Dag pénètrent à leur tour en territoire ennemi.

— Nous voilà dans la place… sans effraction ! ricane Claude. Fouillons cette cour en vitesse. Si nous arrivons à mettre la main sur Tocotoc…

— … Nous serons heureux que Bastien nous ait accompagnés ! achève Mick. Tu parles d'un poids à transbahuter ! Tu nous imagines coltinant ce brave Tocotoc sur nos vélos ! Il faudrait le scier en morceaux ou le débiter à la hache…

Le jeune garçon s'interrompt. Claude, qui avance avec précaution à travers la cour, vient de s'arrêter net et désigne quelque chose sur le sol.

— Tu ne crois pas si bien dire, mon vieux ! Regarde ! Si ce n'est pas Tocotoc, proprement coupé en tranches, comme un gros saucisson, c'est que j'ai la berlue...

Mick pousse une exclamation étouffée et se penche sur le tas de bois qu'il a devant lui... Claude ne s'est pas trompée. Le jeune garçon reconnaît les larges pieds, formant socle, de la statue parlante, son masque fendu de haut en bas, son ventre rond et luisant... et même le pectoral de bois en forme de soleil. Le dieu bolivien a été scié en gros tronçons. En y regardant de plus près, Mick constate qu'on a même essayé de brûler l'idole, comme en témoignent des traces visibles de calcination. Mais le bois, extrêmement dur, a résisté à l'action du feu.

— Nous voilà fixés ! conclut Claude. Tocotoc était bien ici. Les bandits ont essayé en vain de s'en débarrasser après avoir constaté que la cachette était vide.

Claude et Mick, laissant sur place les débris partiellement calcinés de Tocotoc, se hâtent d'opérer leur jonction avec Bastien,

François et Annie, qu'ils mettent au courant de leur découverte. L'antiquaire ne semble plus pressé de faire appel à la police, ce qui enchante les quatre cousins.

— Les vandales ! s'exclame-t-il. À présent, c'est une affaire entre eux et moi. Je le leur ferai payer cher. La statue a beau ne pas m'appartenir, on ne détruit pas ainsi une œuvre d'art !

— En attendant, déclare François, il faut vous attendre à une offensive contre votre magasin. Je me demande même si, à l'heure qu'il est, les bandits ne sont pas en train d'essayer de récupérer les statuettes…

Les craintes de François sont sans fondement. Quand les six amis arrivent à la boutique de Bastien, tout est tranquille. En revanche, une enveloppe a été glissée sous la porte.

— Ouvrez vite, Bastien ! s'écrie Annie. C'est sûrement un message de Kopac et compagnie !

— Ha ! ha ! fait Bastien. Ils ont peur de m'attaquer en face. Alors, ils m'écrivent…

Il ouvre l'enveloppe. Un billet rédigé en caractères d'imprimerie, découpés dans un journal et collés sur une feuille blanche, s'en échappe. L'antiquaire lit tout haut :

« LEZUN ! SI TOI ET CES MAUDITS GOSSES NE NOUS RENDEZ PAS LES CINQ STATUETTES ET LE SOLEIL DE L'INCA, GARE À VOUS TOUS ! RAPPORTE-LES-NOUS SUR LA PLAGE DES GOÉLANDS DANS LA NUIT DE DEMAIN, À DEUX HEURES DU MATIN. UN SEUL MOT À LA POLICE ET TU T'EN REPENTIRAS. VIENS SEUL ! »

Il n'y a pas de signature.

— La plage des Goélands, murmure Claude. Je la connais. Elle se trouve juste en face de l'île de Kernach.

— Et chacun sait que l'île de Kernach t'appartient, coupe Mick. Tes parents t'en ont fait cadeau en toute propriété. Mais cela ne nous avance guère… Le temps passe… Demain soir sera vite là. Comment faire pour damer le pion aux bandits ?

— Pour commencer, grommelle Bastien, ils n'auront ni le soleil de l'Inca ni les pierres précieuses. Je les laisse où ils sont : dans mon coffre, à la banque !

— J'ai une idée ! annonce Claude.

— Le contraire m'aurait étonné, taquine Mick. Vas-y : nous sommes tout oreilles !

— C'est très simple. Bastien ira au rendez-vous et déclarera ne rien savoir du soleil

inca. On lui a volé Tocotoc, c'est tout. Quant aux statuettes… il les rendra. Seulement, il aura substitué aux pierres précieuses autant de morceaux de verre de couleur. Il tentera ainsi d'abuser les bandits.

— Et tu crois qu'il y réussira ? soupire François, la mine sombre.

— Attends donc ! Je n'ai pas fini… Pendant qu'il discutera avec eux, nous surveillerons de loin la plage. Et puis, nous aurons prévenu la police qui entrera en action en temps opportun et capturera les voleurs…

Mick s'exclame :

— Comment ? C'est toi qui parles d'alerter la police, à présent ?

— Oui. Le moment est venu de faire intervenir les forces de l'ordre… Grâce à nous, les bandits seront pincés la main dans le sac, à l'instant où ils menaceront Bastien. Juste ce que nous voulions !

Cette solution convient parfaitement à Bastien et au sage François. Quant à Annie, elle pousse un soupir de soulagement… Allons, dès le lendemain, cette affaire sera chose réglée !

Le lendemain, alors que les Cinq préparent fiévreusement l'expédition nocturne,

Bastien doit subir une véritable invasion de touristes. Sa journée est tellement chargée qu'il ne peut prendre contact avec la gendarmerie qu'à la fin de l'après-midi.

Encore doit-il se contenter d'alerter les gendarmes par téléphone, en leur expliquant qu'une occasion unique s'offre à eux de capturer trois des membres de la fameuse bande des pilleurs de musées sud-américains ! Bastien raconte rapidement son histoire, sachant qu'il aura ensuite tout juste le temps de préparer les statuettes en y enfermant des morceaux de verre multicolores.

Le brigadier-chef qu'il a au bout du fil croit immédiatement à une blague d'un mauvais plaisant. L'accent méridional de Bastien, sa véhémence, sa manière fantaisiste de raconter ses précédentes aventures, tout cela semble relever de la farce. Il faut dire, à la décharge de l'excellent brigadier, qu'il a eu récemment affaire à des plaisantins. Aussi croit-il de bonne foi qu'une fois de plus on veut le mettre « en boîte ». Comme il avait de l'esprit, il trouva amusant d'entrer dans le jeu plutôt que de se fâcher. Aussi répond-il sur le même ton :

— Splendide ! C'est entendu. Nous serons à la plage des Goélands à deux heures du

matin ! Quel beau coup de filet nous allons faire grâce à vous ! C'est cela ! Comptez sur nous ! À cette nuit !

Et il raccroche en riant. Bastien, satisfait d'avoir été si vite compris, raccroche de son côté et s'occupe de ses statuettes : les gemmes primitives sont remplacées par des zircons et du verre teinté. Après quoi, l'esprit tranquille et sans la moindre appréhension, l'antiquaire attend l'heure du rendez-vous nocturne...

À deux heures moins le quart du matin, Bastien et les enfants se trouvent à leur poste. Les jeunes détectives sont arrivés les premiers, une bonne demi-heure à l'avance... Cachés derrière de grosses touffes d'ajoncs qui parsèment les dunes, ils ont sur la plage une bonne vue plongeante.

Ils voient ainsi arriver Bastien, porteur d'une valise contenant, sans doute, les statuettes. L'antiquaire se met à battre la semelle sur la plage. Le vent est frisquet. Bastien ne ressent aucune crainte. Il est persuadé qu'un dispositif de police a été discrètement mis en place pour le protéger.

À deux heures précises, Mick donne un coup de coude à Claude.

— Regarde ! Un canot arrive du large.

Claude, qui surveille la route des dunes, se retourne. En effet, un canot dont on entend faiblement ronronner le moteur se dirige vers la plage. Bastien s'est immobilisé. Il regarde lui aussi… Le canot accoste. Deux hommes sautent sur le sable. À la clarté lunaire, les enfants reconnaissent Luis et Antoine.

— Les voilà ! chuchote Annie. Pourvu que les gendarmes soient bien à leur poste !

— Chut ! murmure François.

Le vent qui souffle de la mer apporte le bruit des voix :

— Vous avez la marchandise ? demande Antoine.

— Voilà ! répond Bastien en tendant sa valise.

Luis pose le bagage à terre, l'ouvre et, à l'aide d'une lampe de poche, en inventorie le contenu.

— Les statuettes sont bien là, annonce-t-il. Mais il manque le soleil de l'Inca !

Bastien fait l'innocent.

— Je ne sais pas de quoi vous parlez !

— Tu le sais parfaitement ! Nous t'avons repris l'idole de bois, mais le soleil n'était pas dans sa cachette.

— Quel soleil ? Quelle cachette ?

Antoine donne une bourrade à l'antiquaire :

— Cesse de faire l'idiot ! Puisque tu n'es pas raisonnable, nous allons te conduire à notre chef.

— Mais enfin, qu'est-ce que vous voulez ? proteste Bastien. Je ne comprends rien à toutes ces histoires.

— Tu t'expliqueras à bord ! coupe Luis. Allez, monte dans le canot. Nous allons au yacht !

Les deux hommes poussent Bastien dans l'embarcation. L'antiquaire, jugeant que les choses tournent mal, appelle sans fausse honte :

— Au secours ! À l'aide ! On m'enlève !

Il espère voir jaillir de tous côtés des forces de police, mais rien ne se produit. Consterné, il est bien obligé d'obéir aux deux hommes qui ricanent :

— Tu peux toujours t'égosiller. Personne ne t'entend !

De leur côté, les enfants, stupéfaits et impuissants, assistent à l'enlèvement de leur ami. Pourquoi les gendarmes n'interviennent-ils pas ?

chapitre 13

Sur le yacht

— Je n'y comprends rien, dit François, effaré. Bastien aurait-il oublié de prévenir la police ? Il est étourdi, c'est certain… mais à ce point !

Cependant, il faut se rendre à l'évidence. Les bandits ont kidnappé Bastien. Personne n'est venu à son secours, et l'antiquaire se trouve désormais en fâcheuse posture.

— Il faut faire quelque chose ! murmure Mick.

— Nous ne sommes que des enfants ! déplore Annie en frissonnant. Pauvre Bastien !

— Inutile de gémir ! Agissons plutôt ! décrète Claude. J'ai une idée !

Mick sourit, mais sans aucune ironie.

— Une de plus ! fait-il simplement. Parle ! Nous t'écoutons.

Le plan de Claude est hardi, comme elle... Elle commence par montrer à ses cousins une masse sombre, immobile au milieu de la crique :

— C'est certainement le yacht à bord duquel se trouve Kopac. Nous sommes tout près des *Mouettes.* Retournons vite à la maison et prenons mon canot à rames. À la faveur de l'obscurité, nous nous approcherons du yacht sans faire de bruit.

— Et ensuite ? demande Mick.

— Eh bien, ensuite, nous déciderons sur place. Dépêchons-nous !

Peu de temps après, avec François et Claude aux avirons, le canot de Claude, le *Saute-Moutons,* s'approche silencieusement du yacht ancré dans la crique. C'est un joli bateau de plaisance, assez bas sur l'eau. Après l'avoir abordé, Claude écoute, n'entend rien et décide aussitôt :

— Il faut monter à bord ! Viens avec moi, Mick !

Lestement, les deux cousins se hâtent avec précaution à l'arrière du yacht. Il n'y a personne sur le pont. C'est une chance ! En revanche, des voix s'échappent d'une écou-

tille. Marchant à pas feutrés, Claude et Mick s'en approchent.

— Il s'obstine à affirmer qu'il n'a jamais vu le soleil de l'Inca, m'sieur Kopac ! explique Antoine.

— Et les pierres contenues dans les statuettes sont de pâles imitations des gemmes qui devraient s'y trouver, ajoute Luis.

— Autrement dit, conclut une autre voix – sans doute celle de Kopac –, les statuettes ne contiennent que du verre, et le soleil brille par son absence. Comment expliques-tu cela, mon garçon ?

— Je n'explique rien du tout, s'écrie Bastien avec force, puisque je ne comprends rien à ce que vous racontez ! Depuis que j'ai reçu cette maudite statue bolivienne, on me vole, on me menace, on m'enlève… C'est insensé !

La voix de Kopac se fait menaçante :

— Je vais m'employer à te faire retrouver la mémoire, mon garçon ! Ou tu me dis où se trouve le soleil, ou je t'étrangle lentement, comme ceci…

Sans doute le misérable joint-il le geste à la parole, car Mick et Claude, soudain, perçoivent un faible gémissement. Ils sursautent, tout pâles.

— On ne peut pas supporter ça, décrète Mick. Volons-leur dans les plumes et délivrons Bastien !

— Tu es fou ! Deux enfants contre ces bandits…

Le gémissement cesse. La voix de Kopac s'élève de nouveau :

— Alors ? Cela te suffit-il ? Vas-tu parler à la fin ou dois-je recommencer… un peu plus fort cette fois ?

— Je vous en prie… Je ne sais rien…

— Mick ! souffle Claude. Je sais ce que nous allons faire. Seulement, promets-moi de m'obéir à la lettre.

— Mais…

— Pas le temps de t'expliquer, mon vieux. L'heure presse. Retourne vite au canot et, avec François, partez immédiatement à la nage jusqu'à mon île.

— Quoi ! L'île de Kernach ?

— Je sais ! L'eau n'est pas très chaude et vous avez à nager pendant près d'un kilomètre. Vous laisserez le canot ici. J'en aurai besoin. Qu'Annie et Dag m'y attendent !

— Mais que vas-tu faire, Claude ?

— Pas le temps de t'expliquer, te dis-je. Écoute plutôt ce que tu devras faire, toi, avec François. Une fois sur l'île, vous irez

vous cacher dans le renfoncement qui se trouve à l'entrée de l'oubliette nord du vieux château...

— Celle que l'on peut fermer grâce à une dalle basculante ?

— Oui. Nous essaierons d'y prendre les bandits au piège.

— Mais comment comptes-tu les attirer dans ton île ?

— J'en fais mon affaire. L'essentiel, c'est que vous soyez à votre poste. Quand les bandits seront occupés à chercher un trésor imaginaire, nous ferons basculer la dalle. À nous trois, nous y arriverons bien. Allez, file !

Un nouveau gémissement filtre par l'écoutille. Le chef des Cinq donne une bourrade à son cousin qui part aussitôt. Claude respire à fond : il lui faut être parfaitement détendue pour jouer le rôle qu'elle vient de se fixer... Allons. Elle est prête à l'attaque...

Hardiment, sans chercher à étouffer le bruit de ses pas, elle se précipite dans l'écoutille et, apercevant un rai de lumière sous une porte, pousse le battant et entra dans la pièce... Une scène pénible s'offre à sa vue. Devant Antoine hilare et Luis renfrogné, Kopac, l'antiquaire de Fernach, serre lentement ses mains puissantes autour du cou de Bastien, ligoté sur une chaise :

— Vas-tu parler, entêté ?

— Arrêtez ! crie Claude.

Les trois bandits se retournent. Kopac lâche sa victime. Claude ne leur laisse pas le temps de se reconnaître. Elle se jette aux pieds de Kopac, levant vers lui des mains suppliantes tandis que des larmes coulent sur ses joues.

— Pitié, m'sieur ! Ne faites pas de mal à M. Lezun. J'ai entendu ce que vous disiez de ce soleil. Il ne sait rien, le pauvre… C'est moi… Oh ! Vous l'avez presque étranglé !

Elle se relève d'un bond et court vers Bastien comme pour regarder son cou meurtri.

Elle en profite pour lui chuchoter à l'oreille :

— Courage ! Ne vous étonnez de rien !

Puis, tout haut :

— C'est terrible. Détachez-le, je vous en supplie !

Kopac retrouve ses esprits.

— Qui diable est ce gamin ? gronde-t-il.

— Je suis une fille, réplique Claude. Je ne veux pas que vous fassiez mal à mon ami Bastien !

Antoine et Luis échangent un regard d'intelligence. Ainsi, ce gamin est une fille ! Pas étonnant qu'elle pleurniche et se traîne ainsi aux pieds de leur chef !

Kopac, cependant, fronce les sourcils.

— Comment es-tu venue jusqu'ici, petite ? questionne-t-il d'un air soupçonneux.

Claude se remet à sangloter, le visage dans les mains, comme si elle était trop émue pour parler. Bastien, qui commence à reprendre son souffle, devine qu'elle joue la comédie et cherche à gagner du temps.

— Hi, hi ! m'sieur ! Hi, hi !

Et, tout en pleurant, Claude calcule le temps que Mick et François, excellents nageurs, mettront pour atteindre l'île :

— Hi, hi ! Délivrez m'sieur Bastien. Il n'a rien fait de mal.

— Je t'ai posé une question, mauviette. Si tu te montres aussi entêtée que lui, gare à toi !

Claude pousse un cri d'épouvante parfaitement simulé et fait mine de courir à la porte. Luis l'arrête au passage :

— Réponds au patron. Comment es-tu arrivée ici ?

— On joue aux pirates avec ma petite cousine, en pleine nuit, exprès pour prouver aux

garçons qu'on n'a pas peur. On a emprunté le canot de papa sans rien dire…

Elle prend un air piteux et renifle.

— Et puis, le courant nous a emportées, continue-t-elle. J'étais fatiguée de ramer… Je me suis accrochée à la chaîne de votre bateau… J'ai grimpé… et puis j'ai entendu la voix de m'sieur Bastien et…

— Et la curiosité t'a poussée à écouter, pas vrai ?

— Heu… j'ai pas pu m'en empêcher, m'sieur !

Luis fait remarquer :

— Cette gamine fait partie du groupe de ces maudits gosses chez qui Lezun avait remisé l'idole.

— Tiens, tiens ! fait Kopac en regardant Claude dans les yeux. Dans ce cas, puisque ton ami ne veut rien dire et puisque, de ton côté, tu affirmes qu'il ne sait rien, c'est que sans doute, toi, tu sais quelque chose ! Est-ce que tes amis et toi, vous n'auriez pas trouvé un gros bijou dans la statue de bois, par hasard ?

Claude prend un air confus, baisse la tête et se tortille comme si elle était mal à l'aise. En réalité, elle exulte. Tout se passe exactement comme elle l'a désiré.

— Eh bien… tu ne réponds pas. Veux-tu que je recommence à étrangler l'ami Lezun devant toi ?

Claude paraît horrifiée.

— Non, non ! s'exclame-t-elle. Je vous dirai tout, m'sieur ! Mes cousins et moi, on a fait tomber l'idole. Elle s'est cassée. Il y avait quelque chose de très joli à l'intérieur. Ça brillait comme… comme un soleil !

Kopac échange un coup d'œil d'intelligence avec ses complices.

— Ah ! Nous y voilà ! déclare-t-il. Tu n'as pas hésité à voler ce pauvre Lezun ! Malheureusement, il se trouve que le soleil de l'Inca nous appartient. Tu vas nous le rendre tout de suite.

Claude semble céder à la peur.

— Ou… i, m'sieur ! Bien sûr ! Avec mes cousins, on l'a caché dans l'île de Kernach ! C'est tout près d'ici !

— Et cette verroterie que j'ai trouvée dans ces statuettes ! Sais-tu d'où elle vient ?

Bastien, qui commence à reprendre espoir, frémit soudain. Il se dit que, si Claude raconte que c'est elle qui a opéré la substitution des pierres, jamais Kopac ne la croira… Mais Claude est plus futée que cela…

En réponse à la question du bandit, elle s'écrie :

— Ces statuettes ! Nous étions tous chez m'sieur Lezun quand il les a reçues. Nous l'avons même aidé à les mettre en vitrine. Je ne savais pas qu'il y avait quelque chose à l'intérieur.

— Moi non plus, je ne le savais pas ! coupe Bastien. Voilà pourquoi je n'ai rien compris à votre histoire !

— Hum !

Kopac a l'air ébranlé : sans doute commence-t-il à se demander si l'échange des gemmes n'a pas eu lieu en Bolivie, au moment de l'expédition du colis.

— Hum !... Bon !... Laissons pour l'instant de côté la question des statuettes. Tu dis que le soleil de l'Inca est caché sur cette île ? Antoine, commence par aller t'assurer que la gamine n'a pas menti au sujet de cette promenade en canot. Attache solidement son bateau à l'arrière et fais monter sa petite cousine...

— Attention ! prévient Claude. Il y a aussi mon chien ! Je vais avec vous pour l'empêcher de vous mordre !

Cinq minutes plus tard, Annie et Dag grimpent à bord. Annie a grand-peur, mais,

vaillante, elle sourit à Claude. Celle-ci traduit correctement ce sourire. François et Mick ont obéi à ses ordres et leur petite sœur a pleine confiance dans la réussite du plan conçu par le chef des Cinq.

chapitre 14

Abandon

Quand le petit groupe a rejoint, dans la cabine, Bastien, Luis et Kopac, celui-ci se tourne vers Claude.

— J'espère que tu nous as dit vrai aussi pour le soleil… Allons, Antoine ! ajoute-t-il. Lève l'ancre et mets le moteur en route. Nous allons sur l'île récupérer notre trésor.

Claude a bien du mal à dissimuler sa joie. Grâce à son habileté, elle a amené les bandits à faire ce qu'elle avait prévu. Elle savoure la satisfaction de manœuvrer Kopac, Luis et Antoine comme des marionnettes.

Pour que le scénario continue à se dérouler sans accroc, encore faut-il ne pas accoster trop tôt, afin que Mick et François aient le temps de gagner leur poste.

— Attention ! lance Claude d'un air effrayé. Il y a des récifs dans ce coin. On ne peut pas aborder n'importe où. Je connais bien l'endroit, m'sieur !

— Eh bien, tu nous guideras ! Mais n'oublie pas que si tu cherches à t'enfuir, c'est ta cousine et ton ami Bastien qui trinqueront. Compris ?

Il ne faut pas longtemps au yacht pour arriver à l'île. Claude n'a pas menti : des écueils défendent l'accès de la côte. Kopac ordonne de mouiller l'ancre.

— Maintenant, dit-il à Luis et à Antoine, prenez le canot et allez récupérer le soleil. La gamine vous guidera. Moi, je vous attends ici avec les autres prisonniers.

Claude se mord la lèvre. Elle n'avait pas prévu que Kopac resterait à bord... Tant pis ! L'élimination des bandits devra se faire en deux temps ! Laissant à regret Annie et Dag derrière elle, elle prend place dans le canot, auprès de Luis et Antoine. Celui-ci empoigne les avirons.

— Il faut que je retrouve l'endroit où l'on peut accoster et tirer le canot à terre, explique Claude. De nuit, ce n'est pas facile.

Elle fait faire lentement le tour de l'île aux bandits, pour permettre à François et

à Mick, qui doivent être arrivés, de prendre leurs dispositions. Enfin, elle annonce :

— C'est ici ! voyez ! il y a une crique minuscule avec du sable fin !

En grognant, Antoine force sur les avirons et projette littéralement le petit canot sur la rive en pente douce. La quille racle le sable. Les bandits et Claude mettent pied à terre.

— Et maintenant ? demande Luis.

— Nous avons caché le soleil dans le vieux château en ruine que vous voyez là-haut, au-dessus de nous !

Antoine et Luis regardent dans la direction indiquée. Ils aperçoivent la silhouette imposante d'un antique château à moitié écroulé. Ils ne peuvent deviner que cette ruine appartient à Claude et qu'elle en connaît chaque pierre.

— Pas mal trouvé comme cachette ! estime Luis. Passe devant, gamine, et montre-nous le chemin…

À la queue leu leu, les trois visiteurs nocturnes s'engagent sur l'étroit sentier aboutissant à la plate-forme rocheuse sur laquelle le château a été construit.

La lune éclaire les arbres, les buissons et le tapis de mousse et d'herbe qui couvre

le sol devant les ruines. Claude passe sous une arche de pierre, traverse une cour aux dalles brisées et pénètre dans un hall délabré.

— Plus loin ! indique-t-elle. Dans la salle du fond…

Elle chemine un moment parmi les éboulis pour atteindre finalement une vaste pièce. Dans un coin, formé par deux murs énormes, on aperçoit vaguement un trou d'ombre, au ras du sol.

— En jouant avec mes cousins, dit Claude, nous avons découvert une oubliette au fond de ce puits. C'est là que nous avons enterré le soleil.

Antoine lui donne une bourrade.

— Passe devant ! ordonne-t-il. Tu vas nous montrer l'endroit.

Un étroit escalier en colimaçon s'enfonce dans les entrailles de la terre. Claude, à qui l'un des bandits a passé une torche électrique, descend sans hésiter… Luis et Antoine la suivent.

« Mick et François nous entendent certainement approcher, songe Claude. Les pauvres doivent claquer des dents dans leurs vêtements mouillés. Pourvu qu'aucun d'eux n'éternue ! »

Mick et François, en effet, se tiennent cois dans le renfoncement proche de l'entrée du cachot souterrain. Ils voient soudain danser une lumière puis, derrière, distinguent confusément Claude que suivent Luis et Antoine.

— M. Kopac aurait dû venir avec nous plutôt que de rester à bord ! lance Claude, prévenant aussi ses cousins que le troisième bandit n'était pas là.

— Allez ! Avance au lieu de parler ! grommelle Antoine.

— Nous sommes arrivés. C'est ici... ce petit cachot qui n'a plus de porte ! Nous avons enterré le soleil tout au fond, dans le coin à gauche, sous une pierre.

Tout en parlant, Claude s'est effacée, comme pour céder le passage aux bandits. Elle espère bien que, pressés de mettre la main sur le trésor, Antoine et Luis cesseront de s'occuper d'elle pour se précipiter dans l'oubliette. Ils n'ont rien à redouter d'elle.

Son espoir n'est pas déçu ! Sans même ralentir l'allure, les deux bandits s'engouffrent dans le cachot. Claude, restée sur le seuil, se retourne et aperçoit Mick et François qui surgissent de leur cachette.

— Vite ! souffle-t-elle.

Sans parler, les trois cousins pèsent alors de toutes leurs forces sur une dalle verticale, dressée à droite de l'oubliette. La dalle, pivotant sur un axe invisible, vient s'encastrer exactement dans l'ouverture, comme une porte aurait pu le faire.

— Victoire ! s'exclame Mick en écoutant les cris de rage étouffés des bandits. Les voilà pris au piège !

— Ils peuvent toujours s'égosiller au fond de leur trou noir ! renchérit François en souriant.

— Ils n'auront même pas le soleil d'opale pour les éclairer ! plaisante Claude. Dépêchons-nous de remonter… Vous n'avez pas trop froid ?

— C'est à peine si nous sommes mouillés, réplique Mick en suivant Claude dans l'escalier en colimaçon. Nous avons pensé à nous déshabiller avant de nous mettre à l'eau… et nous avons attaché nos vêtements sur notre tête. Dis donc, Kopac n'est pas là ?

François, qui ferme la marche, ajoute :

— Et Annie ? Et Bastien ? Et Dago ?

— Kopac attend le retour de ses complices à bord du yacht, explique Claude. Annie, Bastien et Dag sont avec lui !

Cette révélation consterne les deux garçons. Annie, leur petite sœur, est au pouvoir de Kopac, et celui-ci hors de leur atteinte.

Claude émerge du trou, attend ses cousins et, voyant leur air sombre, s'écrie :

— Ne faites donc pas une tête pareille ! Rien n'est perdu, loin de là ! Jusqu'ici, mon plan a bien marché, à quelques détails près. Antoine et Luis sont neutralisés au fond d'une oubliette. Nous sommes désormais tous contre Kopac !

— Tu oublies qu'il a des otages !

— Tut, tut ! Si nous agissons rapidement, il sera bien obligé de les libérer.

— Que vas-tu faire ? demande François qui reprend espoir tant l'enthousiasme de sa dynamique cousine est communicatif.

— C'est tout simple. Nous allons retourner au yacht avec le canot, en faisant aussi peu de bruit que possible. Nous tâcherons de réduire Kopac à l'impuissance. Après, les choses iront toutes seules. Nous délivrerons Bastien, Annie et Dago, nous mettrons le cap sur Kernach… et il ne restera plus aux gendarmes qu'à aller cueillir Luis et Antoine au fond de leur cachot.

— L'ennui, fait observer Mick, c'est que Kopac guette peut-être sur le pont le retour

du canot. S'il s'aperçoit qu'Antoine et Luis ont été remplacés par François et moi…

— Eh bien, c'est un risque à courir ! De toute façon, nous n'avons pas le choix !

Tout en parlant, les trois cousins sont sortis du château en ruine. À présent, ils descendent le sentier conduisant à la petite plage. Rapidement, ils prennent place dans le canot. François et Mick empoignent les avirons…

Dès qu'ils sont sortis de la crique, les trois compagnons essaient de repérer le yacht. Mais ils ont beau écarquiller les yeux, ils n'aperçoivent nulle part le bateau de Kopac.

Le yacht a disparu !

Claude, Mick et François ont du mal à se rendre à l'évidence. La disparition du yacht est pour eux plus qu'une mauvaise surprise : une véritable catastrophe !

— C'est incroyable ! s'exclame enfin Claude. Kopac n'aurait jamais abandonné le soleil de l'Inca sans bonne raison.

— Quand je pense qu'Annie, Bastien et Dag sont à bord ! soupire François, consterné.

— Qu'est-ce qui a bien pu se passer ? questionne Mick.

Les trois cousins sont loin d'imaginer, bien sûr, les événements qui se sont déroulés en leur absence à bord du yacht…

Quand Antoine et Luis sont partis pour l'île en compagnie de Claude, Annie, un peu effrayée, s'est retrouvée seule avec le terrible Kopac et Bastien toujours ligoté sur sa chaise, le pauvre ! La présence de Dagobert à ses côtés rassure cependant un peu la fillette.

— Et voilà ! dit Kopac à ses prisonniers. Il ne nous reste plus qu'à attendre ! Espérons pour nous tous que mes amis reviendront avec le soleil de l'Inca. Nous n'aurons plus alors qu'à étudier de près cette histoire de statuettes et de gemmes remplacées par des pierres sans valeur.

Bastien hausse les épaules, comme si la question ne l'intéressait pas. Annie, qui sait très bien que le soleil d'opale ne se trouve pas sur l'île, ne peut s'empêcher de frissonner. Elle souhaite une fois de plus, du fond du cœur, que ses frères et Claude réussissent à neutraliser Antoine et Luis. Alors, il ne resterait plus que Kopac. Si seulement Bastien n'était pas attaché !

Kopac se dirige vers la porte.

— J'ai à faire sur le pont. Ne bouge pas, petite ! Et veille à ce que ce chien ne bouge pas non plus. Je reviens dans deux minutes !

Dagobert, à qui Claude a ordonné de l'attendre sagement, souffre de l'absence de sa

jeune maîtresse. Il sait d'instinct que Kopac est leur ennemi à tous. Il suffirait d'un signe d'Annie pour qu'il se jette sur le bandit. Mais Annie a assez de bon sens pour le retenir.

En revanche, à peine Kopac est-il sorti, qu'elle se précipite vers Bastien et, de ses doigts menus, essaie de desserrer les liens.

— Bastien ! Je vais vous délivrer... Oh ! Pourvu que j'y arrive !

— Il faudrait un couteau, ma petite Annie, et nous n'en avons pas. De plus, même libre, j'aurais peu de chances de venir à bout de cet homme. Il est armé...

Constatant l'inutilité de ses efforts pour détacher Bastien, Annie tente du moins de le rassurer.

— Vous savez, lui dit-elle, il ne faut pas trop vous faire de souci. Claude a un plan...

— Je m'en suis douté tout de suite, en la voyant pleurnicher aux pieds de Kopac. Cela lui ressemblait si peu ! Qu'a-t-elle donc imaginé ?

Annie s'empresse de le lui expliquer...

chapitre 15

Menottes aux poignets

— Claude est maligne. Vous l'avez entendue ! Elle fait croire aux bandits que le soleil bolivien est caché dans l'île de Kernach...

— Alors qu'il se trouve en sûreté à la banque, au fond de mon coffre, en compagnie des pierres précieuses trouvées dans les statuettes ! achève Bastien en souriant.

— Mais cela, Antoine et Luis ne peuvent pas le deviner ! François et Mick sont déjà sur l'île pour leur tendre un piège. Il ne restera plus que Kopac contre nous !

— Et vous ne m'avez pas encore, jeunes vauriens ! s'écrie une voix tonnante.

Effrayés, Bastien et Annie regardent en direction de la porte. Ils aperçoivent Kopac sur le seuil. Le bandit est blanc de rage.

Il s'avance d'un pas lourd et brandit son poing sous le nez de l'antiquaire.

— J'ai tout entendu ! Tu faisais l'innocent alors que tu avais les bijoux dans ton coffre… Et toi, ajoute-t-il en se tournant vers Annie terrifiée, tu as essayé de me rouler avec tes petits amis.

Sa main levée va s'abattre sur la joue d'Annie quand Dag fait entendre un sourd grondement. Kopac n'est pas courageux. Il bat en retraite vers la porte.

— Vous ne perdez rien pour attendre ! lance-t-il à ses prisonniers. Vous comptez triompher de moi, mais vous avez tort. Tant pis pour Luis et Antoine ! Je ne vais certes pas attendre l'arrivée des trois gamins. Je vais mettre le cap sur la côte. Je garderai la gosse comme otage et toi, l'antiquaire, tu viendras avec moi, dès l'ouverture de la banque, pour retirer le soleil et les pierres de ton coffre.

Une lueur passe dans le regard de Bastien. Kopac l'aperçoit et se prend à ricaner…

— Je ne te conseille pas d'essayer de me jouer un tour ! Avant de partir pour la banque, j'aurai soin de laisser la petite dans un endroit connu de moi seul où elle mourra de faim si je ne reviens pas la déli-

vrer. Tu vois que tu n'as pas intérêt à ameuter le public contre moi lorsque nous irons visiter ton coffre... Je suis plus malin que vous ne l'imaginiez. Ha ! ha ! ha !

Le bandit sort, referme la porte derrière lui, sans plus se soucier de ses prisonniers.

Bastien et Annie se regardent d'un air de détresse. Après avoir espéré que les bandits seraient neutralisés et que Claude, François et Mick viendraient les libérer d'un instant à l'autre, voilà que la situation est pire que jamais... Annie éclate en sanglots.

— Allons, Annie, murmure Bastien. Ne te désole pas. Après tout, notre position n'a rien de terrible ! Je serai obligé, bien sûr, de rendre le soleil et les gemmes à Kopac ! Mais nous sortirons tous sains et saufs de l'aventure. C'est l'essentiel !

— Tout est ma faute ! répond Annie en pleurant. C'est ma sottise qui nous a conduits là. Si je n'avais pas parlé... Claude sera furieuse... Elle ne me pardonnera jamais d'avoir fait échouer son plan... À cause de moi, les bandits vont triompher... La bande des voleurs de musées ne sera jamais arrêtée... Oh ! Comme j'ai été sotte !

— Tu m'as confié le plan de Claude pour me rassurer, ma petite Annie. Cela partait

d'un bon sentiment. Tu ne pouvais pas deviner que ce gredin de Kopac écoutait derrière la porte !

Annie cesse soudain de pleurer, essuie ses larmes et relève la tête d'un air de défi. Ayant commis une faute, elle estime qu'elle doit la réparer.

La petite fille ne voit pas très bien ce qu'elle peut faire, mais elle est prête à tenter n'importe quoi. Soudain, la porte s'ouvre. Kopac reparaît. Cette fois, il tient un pistolet à la main.

— Nous filons vers la côte ! annonce-t-il. Mais avant de débarquer, je vais supprimer cette sale bête qui risquerait de nous gêner !

Déjà, il vise Dag. Annie comprend qu'elle doit agir à la seconde même.

— Dag ! Attaque ! hurle-t-elle.

Avant que le bandit ait le temps de tirer, le chien lui bondit à la gorge. Kopac fait feu alors, mais sa balle se loge dans la cloison. Il lâche son arme pour essayer de se débarrasser du chien. Annie ne perd pas un instant. Elle s'élance, ramasse le pistolet et, le braquant sur le bandit, ordonne :

— Paix, Dag ! Laisse-le ! À terre !

Dag obéit à regret. Kopac, effrayé, reprend son souffle.

— Vite ! lui ordonne Annie. Détachez M. Lezun. Autrement, gare ! Je n'hésiterai pas à tirer !

Elle tient l'arme à deux mains. Kopac prend peur pour de bon. Dans son ignorance des armes à feu, Annie peut presser sur la détente sans même s'en rendre compte.

— Eh ! Doucement, ma petite.

— Détachez mon ami !

Kopac se hâte d'obéir. À l'aide d'un couteau de poche, il tranche les liens de Bastien. L'antiquaire, un peu ankylosé, se met debout et, après s'être frictionné les poignets, saisit l'arme des mains d'Annie.

— Annie ! dit-il. Ramasse cette corde et attache les bras de Kopac derrière son dos… bien serré ! Quant à vous, Kopac, ajoute-t-il, vous avez intérêt à ne pas résister… Là, c'est bien, ma petite Annie !

Les bras du bandit étant immobilisés, Bastien achève de ligoter le misérable. Satisfait de son travail, il met alors le pistolet dans sa poche et, suivi d'Annie et de Dago, remonte sur le pont.

— Bravo, Annie ! Bravo, Dag ! Il ne nous reste plus qu'à faire demi-tour et à regagner l'île de Kernach.

Là-bas, Claude et ses cousins, anéantis, contemplent la mer vide sans avoir le courage de rien décider. Où se trouvent Annie, Bastien et Dag en ce moment ?

Soudain, Claude pousse un cri de joie. Elle vient d'apercevoir l'ombre mouvante du yacht qui revient !

— Vite ! crie-t-elle. Risquons le tout pour le tout ! À l'abordage !...

Mais quand le canot est arrivé tout près du yacht, Claude et ses cousins ont la surprise de s'entendre héler par des voix familières :

— Claude ! Mick ! François ! Montez à bord !

— Quelle joie de vous revoir !

— Ouah ! Ouah !

— Mais c'est Bastien ! s'écrie Mick. Et Annie ! Et Dag !

Un instant plus tard, les Cinq et Bastien sont réunis sur le pont. Soudain, Dag pousse un aboiement formidable et bondit vers l'arrière... Kopac, qui a réussi à se détacher, tente d'escalader furtivement la lisse pour piquer une tête dans l'eau et s'enfuir à la nage. Le chien ne le lui permet pas. Maintenu par des crocs solides, le bandit est de nouveau réduit à l'impuissance par Bastien et les enfants.

— Et maintenant, lance Claude triomphante, rentrons vite à Kernach !

Sitôt arrivé au village, Bastien se rend à la gendarmerie avec les Cinq et leur prisonnier. Le brigadier-chef les reçoit. En écoutant le récit fantastique qu'on lui fait, il a peine à en croire ses oreilles.

— Ainsi, récapitule-t-il, le S.O.S. que j'ai reçu hier n'était pas l'ouvrage d'un mauvais plaisant ! Je suis navré, vraiment...

— Peu importe, maintenant ! s'exclame Bastien avec bonne humeur. Voici le chef des bandits ! Si vous souhaitez lui donner de la compagnie en prison, vous n'avez qu'à envoyer vos hommes au château de Kernach. Ils trouveront les complices là-bas, au fond d'une oubliette.

Déjà, l'aube blanchit le ciel. Le brigadier de gendarmerie a tôt fait de prendre ses dispositions. Il réunit une petite équipe, réquisitionne la vedette des gardes-côtes... et permet aux enfants de monter avec eux à bord, pour leur servir de guides.

Claude exulte. Enfin, enfin, elle touche au but ! Dans quelques heures, les trois bandits se retrouveront en prison. On les interrogera et, par eux, on remontera jusqu'aux trafiquants péruviens et boliviens qui pillent depuis trop longtemps les musées sud-américains.

La vedette accoste dans la petite crique de l'île de Kernach… Dag est le premier à sauter à terre, suivi de Claude. Tous deux, triomphalement, se dirigent vers les ruines… François, Mick, Annie, le brigadier de gendarmerie et ses hommes leur emboîtent le pas…

Parvenue au bas de l'escalier en colimaçon, la petite troupe entend les cris étouffés de Luis et d'Antoine :

— Ouvrez-nous ! Ouvrez-nous !

Claude échange un regard de malice avec ses cousins.

— À vos ordres, messieurs ! réplique-t-elle très fort.

Aidée de ses cousins, elle déplace la dalle qui tient lieu de porte et s'avance sur le seuil, sa lampe électrique à la main. Les bandits, ne distinguant que sa silhouette et la croyant seule, se précipitent vers elle en vociférant :

— Tu te décides enfin à nous ouvrir !

— Tu vas nous payer cher ta plaisanterie !

Claude, qui s'amuse beaucoup, s'éclipse en faisant deux pas de côté et… Luis et Antoine vont d'eux-mêmes se jeter dans les bras des

gendarmes qui les attendent dans l'obscurité du couloir. On entend des menottes claquer en se refermant sur les poignets des misérables.

— Maintenant, s'écrie gaiement Mick, vous avez le trio des bandits au complet !

— Ils ne s'échapperont pas, soyez tranquilles ! assure le brigadier de gendarmerie tout content de sa capture.

Antoine et Luis écument de rage. Tout le monde remonte au grand jour. Bastien et les enfants aspirent avec délice l'air du large. Dag part gambader dans l'herbe mouillée de rosée. Le soleil monte rapidement dans le ciel, éclaboussant d'or le vieux château et la mer miroitante.

La petite troupe s'embarque sur la vedette de police qui met le cap sur la côte. Bastien se frotte les mains de joie. François et Mick le regardent en souriant. Annie rit franchement de l'heureux dénouement de leur aventure commune.

Seule Claude est sombre. Dagobert, qui devine que quelque chose ne va pas, pousse sa grosse tête sous sa main comme pour dire :

— Je suis là... Je suis ton ami... Compte sur moi et cesse de te faire du souci...

Claude s'arrache à ses pensées, le caresse et laisse échapper un gros soupir.

Annie regarde sa cousine et demande avec gentillesse :

— Que se passe-t-il, Claude ? Tu as l'air ennuyée !

— Je pense bien ! avoue Claude. À l'heure qu'il est, papa a dû s'apercevoir de notre disparition et… tu sais combien il est sévère. Il me considérera comme responsable de tout. Je suis sûre qu'il me punira de belle manière !

Le brigadier de gendarmerie a entendu. Il sourit.

— Ne vous tracassez donc pas ! intervient-il. Par radio, je viens de prévenir notre collègue, resté à la gendarmerie, du succès de notre expédition. Je l'ai aussi chargé d'avertir et de rassurer M. Dorsel ! Je serais étonné que l'on vous gronde !

Claude en est moins certaine. Aussi a-t-elle une très heureuse surprise quand, au débarquer, elle trouve ses parents qui l'attendent. Son père lui ouvre les bras.

— Bravo, Claude ! Tu as réussi un coup magnifique ! Et vous aussi, mes enfants, ajoute-t-il à l'intention de ses neveux. Je n'ai pas le courage de vous réprimander.

Rentrons vite aux *Mouettes*, où Maria est en train de vous préparer un copieux petit déjeuner.

Le lendemain, tous les journaux sont pleins de l'exploit des Cinq. Une fois de plus, ceux-ci ont les honneurs de la radio et de la télévision. Bastien, à qui l'histoire fait une publicité monstre, voit sa boutique envahie par les touristes.

Cependant, l'enquête, menée tambour battant, aboutit très vite. Grâce aux révélations de Kopac et de ses complices, la bande des pilleurs de musées est rapidement connue et démantelée. Les musées sud-américains récupèrent presque tous leurs trésors. Celui de La Paz a une initiative que les enfants apprécient fort : à titre de récompense, il leur adresse une reproduction de Tocotoc, en bois léger, qu'ils plantent dans le jardin des *Mouettes*, comme un totem. Seul Dago s'estime lésé : Claude ne lui permet pas de lever la patte sur cet arbre original et tentateur !

Quel nouveau mystère le Club des Cinq devra-t-il résoudre ?

Pour le savoir, regarde vite la page suivante !

Claude, Dagobert et les autres sont prêts à mener l'enquête

Dans le prochain tome de la série :

Les Cinq se mettent en quatre

« Adjugé ! » s'écrie le commissaire-priseur en frappant sur la table avec son maillet. Et voilà Mme Dorsel propriétaire du fauteuil qui lui plaisait tant ! Tout excités par les enchères, Claude et ses cousins sont loin de se douter que cet achat trop précieux va leur causer bien des tracas...

Pour connaître la date de parution de ce tome, inscris-toi vite à la newsletter du site : www.bibliotheque-rose.com

Tourne la page pour découvrir un extrait de cette nouvelle aventure !

chapitre 1

Vive les vacances !

— Claude ! dit Mme Dorsel à sa fille. Ne reste donc pas ainsi dans mes jambes ! Tu me gênes. J'irai beaucoup plus vite sans toi pour préparer les bagages.

— Je n'ai pas envie de sortir, répond Claude en soupirant. Le jardin est noyé sous la pluie. De la fenêtre de ma chambre, on ne voit même plus la mer tant la brume est épaisse.

— C'est un temps de saison. Les vacances de Noël commencent aujourd'hui !

Ce mot de « vacances » ramène un sourire sur les lèvres de Claude. Grande pour ses onze ans, elle a un visage ouvert et agréable. Ses yeux, aussi sombres que ses cheveux, coupés court et bouclés, reflètent une vive intelligence.

— Tu as raison, reconnaît-elle. Je ne dois pas me plaindre. Je n'aurais jamais imaginé que papa nous emmènerait tous dans le Midi. Là-bas, nous retrouverons le soleil.

— Je l'espère, acquiesce Mme Dorsel en souriant.

Puis elle pousse gentiment sa fille vers la porte.

— Allons, Claude ! Sois raisonnable ! Laisse-moi travailler et emmène Dagobert. Tu sais que ton père ne veut pas le voir dans les chambres.

Claude se tourne vers Dagobert, son inséparable compagnon, un chien sans race définie mais au regard « parlant », affirme sa jeune maîtresse.

— Viens, mon vieux ! lui dit-elle. Ici, nous sommes indésirables. Descendons à la cuisine. Maria aura peut-être quelque chose de bon à nous offrir en guise de consolation.

Maria est la cuisinière des Dorsel. Elle vit avec eux, à Kernach, dans leur villa des *Mouettes.* Ayant vu naître Claude, elle fait pratiquement partie de la famille. Elle personnifie l'activité, le dévouement et la bonne humeur.

— Ah ! Te voilà, Claude. Et toi aussi, Dago ! Je parie que votre visite est intéressée ! Attendez que j'aie fini de pétrir ma pâte pour la tarte du dessert... Pendant qu'elle reposera, je vous servirai un bon goûter...

Quand Claude est installée devant une tasse de chocolat fumant accompagné d'une grosse brioche, et Dag occupé à ronger un os, Maria sourit.

— J'aime te voir bon appétit, ma petite Claude. Quand tes cousins seront là, je vous mijoterai vos plats préférés.

— Tu es gentille, Maria, répond Claude. Mais François, Mick, Annie et moi, nous ne t'encombrerons pas longtemps ces vacances-ci !

— Hé, oui ! Ton père n'est pas pour rien un savant très connu ! Vous avez bien de la chance qu'il puisse vous emmener avec lui pendant son congrès, dans cette grande ville où...

Claude coupe court au bavardage de Maria pour exprimer tout haut sa joie.

— Mes cousins n'en savent rien encore... Ils seront fous de joie, c'est sûr ! Vivement demain !

En période de vacances scolaires, M. et Mme Dorsel – oncle Henri et tante Cécile pour les trois jeunes Gauthier – reçoivent leurs neveux et leur nièce aux *Mouettes*. Claude attend donc avec impatience la venue de ses compagnons de jeu...

Par chance, le lendemain, il fait un temps splendide pour la saison : froid, beau et sec... presque un miracle au bord de la mer !

À onze heures du matin, à peine descendus du bus reliant la gare à la petite ville de Kernach, François, Mick et Annie Gauthier se précipitent pour embrasser Claude et ses parents.

— Bonjour, tante Cécile ! Bonjour, oncle Henri !

— Claude ! Quel bonheur de nous retrouver tous ensemble !

— Le Club des Cinq est de nouveau au complet !

— Ouah ! Ouah !

Vite assourdi par le vacarme, M. Dorsel retourne s'enfermer dans son bureau. Sa femme charge Claude d'annoncer à ses cousins le changement apporté au programme des vacances.

— Comment ! s'écrie Mick tout réjoui. Nous allons passer Noël dans le Midi ! Chouette, alors !

C'est un garçon du même âge que Claude, aussi vif et dynamique que sa cousine à laquelle il ressemble beaucoup. Claude étant en général en pantalon, il n'est pas rare qu'on la prenne elle-même pour un garçon.

— Magnifique ! se réjouit à son tour François. J'avais bien entendu parler de cette exposition internationale d'astronautique, mais j'étais loin de me douter qu'elle nous vaudrait un agréable séjour au pays du soleil !

François est l'aîné des trois Gauthier. Grand et aussi blond que Mick est brun, il a treize ans... « la treizaine athlétique », dit Claude en riant. Quant à Annie, la benjamine, elle est blonde, elle aussi, avec d'admirables yeux bleus qui reflètent sa douceur naturelle.

— Moi aussi, déclare-t-elle, je suis bien contente de voyager. Mais au fait, Claude, Dag viendra-t-il avec nous ?

— Je crois bien ! réagit Claude avec élan. Papa sait que j'aimerais mieux mourir que m'en aller sans lui !

— Ha ! ha ! s'exclame Mick en se moquant de sa cousine. Toujours tes grands mots ! Mourir parce qu'on te séparerait de ton bien-aimé sac à puces !

— Sac à puces ! proteste Claude en simulant l'indignation. Tu oses injurier Dag ?

— Oui, oui ! Sac à puces ! Sac à p... !

— Ouah ! Ouah ! Grrr... !

Et, d'un même élan, Claude et Dag s'élancent sur Mick qu'ils renversent sur le tapis où ils font mine de le mettre en pièces... C'est un jeu, et tous trois le savent. Claude envoie quelques bourrades à son cousin, Dag feint de le dévorer vif, Mick appelle au secours d'une voix chevrotante. François et Annie se tordent de rire...

Évidemment, ils se gardent bien d'intervenir.

La porte s'ouvre brusquement, livrant passage à Maria.

— Êtes-vous devenus fous, les enfants ? Attendez un peu que M. Dorsel vous entende ! C'est lui qui vous dévorera tout crus pour le moins ! Allez ! Filez vite au jardin tandis que j'aide ta maman à finir les bagages, Claude ! N'oubliez pas que vous partez demain !

Joyeusement, les Cinq se précipitent dehors.

— Qu'il fait beau ! s'extasie Annie.

— Peuh ! réplique Claude. Ce n'est rien à côté du soleil qui nous attend dans le Midi. Comme nous allons nous amuser là-bas ! Papa sera occupé par son congrès et les savants étrangers avec lesquels il est en correspondance pour ses travaux.

— Autrement dit, souligne Mick, à nous la liberté !

— Au fait, demande François, où logerons-nous, Claude ?

— Pas à l'hôtel, bien sûr ! Ce serait coûteux et Dago risquerait d'être refoulé... Par chance, maman a, là-bas, de lointains cousins qui partent de leur côté pour les sports d'hiver. Ils lui cèdent leur appartement pour la durée de notre séjour. Nous aurons un étage entier à notre disposition.

— Chic ! Est-ce que Maria nous accompagne ?

— Non ! Maman se chargera de la cuisine et nous l'aiderons à faire les courses !

Les enfants parlent encore un moment des projets de leurs vacances, puis se promènent le long de la mer jusqu'à l'heure du déjeuner. Ils occupent leur après-midi à des jeux tranquilles car la pluie s'est remise à tomber. Plus que jamais, ils ont hâte de s'envoler vers le soleil...

chapitre 2

La vente aux enchères

C'est en effet par avion que les Cinq et les parents de Claude font le voyage.

À leur sortie de l'aéroport, les enfants s'entassent gaiement dans un vaste taxi. L'appartement prêté aux Dorsel domine une artère particulièrement animée. Sur un couloir central s'ouvrent des pièces bien distribuées : celles servant de chambres donnent à l'est, les autres à l'ouest.

M. Dorsel ne perd pas de temps : il s'enferme dans le bureau-bibliothèque afin de réviser des notes et de donner quelques coups de téléphone.

Pendant ce temps, sa femme installe les garçons dans une chambre et les filles dans une autre.

— Ma cousine a libéré quelques tiroirs et une partie de chacune des penderies. Rangez-y soigneusement vos affaires. Quand vous aurez terminé, venez me retrouver.

Claude et ses cousins prennent possession de leur nouveau logis et s'extasient sur le luxe du mobilier. Dago, comme s'il comprenait, marche sur le bout des pattes. C'est un chien bien élevé qui sait faire la différence entre le gravier des allées des *Mouettes* et l'épaisse moquette d'un appartement citadin.

Quand les enfants ont fini de défaire leurs valises, ils courent rejoindre Mme Dorsel. Elle aussi vient d'achever ses rangements.

— Avant toute chose, déclare la jeune femme, il nous faut aller au ravitaillement. C'est une bonne occasion de reconnaître le quartier. Tandis que ton père s'occupe de son côté, Claude, je vous propose une sortie en ville.

Rien ne peut plaire davantage aux Cinq, impatients de se dégourdir jambes et pattes. La petite troupe se met donc en route avec entrain.

— Cette ville a l'air très agréable ! affirme François au bout d'un moment. Ces bus... Cette foule...

— Et ces tours ! ajoute Claude.

— Et ces voitures ! dit Mick.

— Et ces beaux magasins, achève Annie.

Dag ne dit rien, mais Claude devine ce qu'il ressent : en fait, Dago est affreusement vexé qu'on lui ait passé un collier et qu'on le tienne en laisse. Il est habitué à plus de liberté. Claude caresse sa tête hirsute et juge utile de le réconforter.

— Ne boude pas, Dag ! lui murmure-t-elle. Avec cette circulation, il est plus sage de ne pas te lâcher. Tu es un chien prudent mais tu n'as pas l'habitude des feux de croisement. Je me demande même si tu sais distinguer le vert du rouge…

Dag, se sentant compris, pousse un « ouah ! » de contentement et frétille de l'arrière-train. Après tout, il est avec Claude ! N'est-ce pas l'essentiel ?

Après avoir repéré les commerçants, les rues voisines, le square situé à deux pas et relevé le numéro des bus desservant les différents quartiers de la ville, les Cinq aident consciencieusement Mme Dorsel à faire ses provisions.

Tout le monde rentre enchanté au logis.

Après le repas, M. Dorsel expose son programme… Il sera absent chaque jour, dès le matin, et ne rentrera que dans la soirée, pour dîner en famille.

— Pendant ce temps, décide Mme Dorsel, nous visiterons la ville en détail, les enfants et moi. Il paraît que les promenades sont belles et les musées remarquables. Et puis… je courrai aussi les ventes publiques. J'éprouve tellement de plaisir à dénicher de beaux objets anciens !

Les enfants sourient : ils connaissent la passion de tante Cécile pour les ventes aux enchères.

Claude partage les goûts de sa mère. Mais, comme elle a un caractère très indépendant, elle espère bien ne pas être obligée de la suivre pas à pas. À Kernach, les Cinq ont toute liberté pour se promener seuls. Ne peuvent-ils également circuler seuls ici ? Claude pose la question à sa mère dès le lendemain matin.

— Maman ! demande-t-elle à la fin du petit déjeuner. Quand nous serons un peu plus familiarisés avec la ville, nous permettras-tu de flâner de temps en temps sans toi ?

Mme Dorsel sourit.

— Je ne dis pas non, répond-elle, si chacun de vous me promet d'être très raisonnable. Et puis, j'ai confiance en François.

C'est un garçon qui a le sens des responsabilités.

— Merci, tante Cécile, dit François un peu confus.

— Tu es l'aîné et tu as du bon sens. Sans toi, ta cousine ferait souvent des sottises. Tu la freines toujours à temps.

Claude se mord les lèvres pour ne pas rire. En fait, si François a de l'influence sur ses cadets, Claude en a encore plus, subjuguant même le sage François… Vive, dynamique, jamais à cours d'imagination, elle « écume l'aventure de la vie », selon l'expression de Mick. Autrement dit, perpétuellement aux aguets, elle a le chic pour se fourrer dans des situations impossibles… et entraîne à sa suite ses cousins émerveillés.

Cette curiosité sans cesse en éveil de Claude l'a amenée à éclaircir des mystères et même à débrouiller fort habilement de véritables problèmes policiers.

Avec ses cousins et Dago, elle a fondé le Club des Cinq qui se donne pour but de résoudre toute énigme passant à sa portée… Et y réussit la plupart du temps.

Retrouve toutes les aventures du Club des Cinq en Bibliothèque Rose !

1. Le Club des Cinq et le trésor de l'île

2. Le Club des Cinq et le passage secret

3. Le Club des Cinq contre-attaque

4. Le Club des Cinq en vacances

5. Le Club des Cinq en péril

6. Le Club des Cinq et le cirque de l'Étoile

7. Le Club des Cinq en randonnée

8. Le Club des Cinq pris au piège

9. Le Club des Cinq aux sports d'hiver

10. Le Club des Cinq va camper

11. Le Club des Cinq au bord de la mer

12. Le Club des Cinq et le château de Maucl

13. Le Club des Cinq joue et gagne

14. La locomotive du Club des Cinq

15. Enlèvement au Club des Cinq

16. Le Club des Cinq et la maison hantée

17. Le Club des Cinq et les papillons

18. Le Club des Cinq et le coffre aux merveilles

19. La boussole du Club des Cinq

20. Le Club des Cinq et le secret du vieux puits

21. Le Club des Cinq en embuscade

22. Les Cinq sont les plus forts

23. Les Cinq au cap des Tempêtes

24. Les Cinq mènent l'enquête

25. Les Cinq à la télévision

26. Les Cinq et les pirates du ciel

27. Les Cinq contre le Masque Noir

28. Les Cinq et le Galion d'or

Table

hachette s'engage pour l'environnement en réduisant l'empreinte carbone de ses livres. Celle de cet exemplaire est de :
600 g éq. CO_2
Rendez-vous sur www.hachette-durable.fr

Photocomposition **Nord compo** – Villeneuve d'Ascq

Imprimé en Roumanie par G.Canale & C. S.A
Dépôt légal : juillet 2012
Achevé d'imprimer : avril 2015
20.24.2920.5/04 – ISBN 978-2-01-202920-0
Loi n°49-956 du 16 juillet 1949
sur les publications destinées à la jeunesse